D1685164

Astrid **L**

Latający szpieg
czy
Karlsson z Dachu

Astrid Lindgren

Latający szpieg czy Karlsson z Dachu

Przełożyła
Teresa Chłapowska

Ilustrowała
Ilon Wikland

NASZA KSIĘGARNIA

Tytuł oryginału szwedzkiego
Karlsson på taket smyger igen
Rabén & Sjögren Bokförlag AB, Stockholm, Sweden

© Saltkråkan AB/Astrid Lindgren 1968
All foreign rights shall be handled by Saltkråkan AB, Box 100 22
SE-181 10 Lidingö, Sweden, e-mail: cony@saltrakan.se
www.astridlindgren.net

© Copyright for the Polish edition
by Wydawnictwo „Nasza Księgarnia", Warszawa 1994

© Copyright for the Polish translation
by Teresa Chłapowska

Projekt okładki
Agnieszka Tokarczyk

Każdy ma prawo być Karlssonem

Kiedy Braciszek, najmłodszy i najmniejszy w rodzinie Svantessonów, przebudził się pewnego ranka, usłyszał, że mama i tata rozmawiają ze sobą w kuchni. Wydawało się, że są zdenerwowani albo zmartwieni z jakiegoś powodu.

— No tak, teraz to już koniec — powiedział tata. — Zobacz, co jest w gazecie, przeczytaj sama!

— Ojej — przeraziła się mama — jakie to okropne!

Braciszek szybko wyskoczył z łóżka. Chciał też się dowiedzieć, co jest takie okropne.

No i dowiedział się. Na pierwszej stronie gazety, w dużej rubryce, przeczytał:

LATAJĄCA BECZKA CZY CO?

A dalej było tak:

Co to takiego tajemniczego i dziwnego fruwa nad Sztokholmem? Ludzie twierdzą, że nad dachami Vasastan* przelatuje od czasu do czasu coś w rodzaju maleńkiej beczki z silnie warczącym motorem.

Zarząd Krajowej Komunikacji Lotniczej nie wie, co to może być, i dlatego podejrzewa się, że to jakiś groźny zagraniczny szpieg wyruszył na zwiady. Sprawa musi zostać wyjaśniona, a latający obiekt schwytany. Jeżeli jest

* Vasastan - dzielnica Sztokholmu.

5

nim groźny, mały szpieg, trzeba go natychmiast oddać w ręce policji.

Kto rozwiąże tę latającą nad Vasastan zagadkę? Dla osoby, której uda się schwytać ów warczący przedmiot, wyznaczona została nagroda dziesięciu tysięcy koron. Należy tylko dostarczyć to coś do redakcji naszego pisma i odebrać pieniądze.

— Biedny Karlsson z Dachu — powiedziała mama.

— Ludzie zamęczą go na śmierć.

Braciszka ogarnął strach, gniew i smutek, wszystkie te uczucia naraz.

— Dlaczego nie można zostawić Karlssona w spokoju! — wrzasnął. — Przecież niczego takiego nie zrobił. Mieszka sobie w swoim domku na dachu i czasem fruwa w różne miejsca. Chyba nie ma w tym nic złego?

— Nie — odparł tata. — Karlsson jest w porządku. Tyle tylko, że wydaje się trochę... hm... dziwny.

Jasne, że było coś dziwnego z tym Karlssonem, nawet Braciszek to przyznawał. Bo nie jest rzeczą normalną, żeby mały, gruby i zmotoryzowany jegomość mieszkał w malutkim osobnym domku wysoko na dachu i miał składane śmigło na plecach i starter na brzuchu.

A Karlsson był takim właśnie małym jegomościem. I był najlepszym przyjacielem Braciszka. Lepszym niż Krister czy nawet Gunilla, którą Braciszek tak bardzo lubił i z którą bawił się wtedy, kiedy Karlsson nagle znikał albo nie miał czasu.

Karlsson uważał, że Krister i Gunilla to niedołęgi. Prychał, ile razy Braciszek ich wspomniał.

— Nie pleć mi o tych maluchach, nie mam z nimi nic wspólnego — mówił. — Jak myślisz, ilu małych, głupich chłopców ma za najlepszego przyjaciela takiego pięknego, niesłychanie mądrego i w miarę tęgiego mężczyznę w sile wieku, co?

— Nikt poza mną — odpowiadał Braciszek i za każdym razem robiło mu się ciepło na sercu i czuł się bardzo zadowolony. Co za szczęście, że Karlsson osiadł właśnie na jego dachu! W całym Vasastan było mnóstwo starych, brzydkich czteropiętrowych domów, takich właśnie jak ten, w którym mieszkała rodzina Svantessonów, więc to naprawdę szczęście, że Karlsson trafił akurat na ich dach, a nie na jakiś inny.

Początkowo jednak mama i tata niezbyt się cieszyli z powodu Karlssona, a Bosse i Bettan, brat i siostra Braciszka, też nie od razu go polubili. Cała rodzina – prócz Braciszka, rzecz jasna – uważała, że Karlsson jest najokropniejszą, najbardziej rozpieszczoną, bezczelną, wścibską i psotną kreaturą, jaką można sobie wyobrazić. Ale ostatnio wszyscy zaczęli się do niego przyzwyczajać. Już go prawie akceptowali, a co najważniejsze, rozumieli, że jest potrzebny Braciszkowi. Bosse i Bettan byli znacznie starsi, więc Braciszek naprawdę potrzebował bliskiego przyjaciela. Miał oczywiście własnego psa, małego, rozkosznego Bimba, ale i to nie wystarczało – Braciszek potrzebował Karlssona.

– A ja uważam, że również Karlsson potrzebuje Braciszka – mówiła mama.

Jednak od samego początku mama i tata woleli, w miarę możliwości, ukrywać istnienie Karlssona. Zdawali sobie sprawę, jaka by powstała wrzawa, gdyby, na przykład, dowiedziała się o nim telewizja albo zjawili się reporterzy i zaczęli pisać w tygodnikach o „Karlssonie w zaciszu domowym".

– Cha, cha – powiedział kiedyś Bosse – to by dopiero była heca zobaczyć Karlssona na okładce „Veckojournalen"* wąchającego w salonie bukiet różowych róż czy coś w tym rodzaju.

– Głupi jesteś – odezwał się wtedy Braciszek. – Karlsson nie ma żadnego salonu, tylko mały, zagracony pokoik, bez żadnych róż.

* „Veckojournalen" – popularny ilustrowany tygodnik szwedzki.

Bosse wiedział, że tak rzeczywiście jest. On i Bettan, razem z mamą i tatą, byli kiedyś — ale tylko jeden raz — na dachu i widzieli domek Karlssona. Wdrapali się tam przez klapę na strychu, taką dla kominiarza, i Braciszek pokazał im, jak domek Karlssona jest przemyślnie schowany za kominem, tuż przy ścianie sąsiedniego budynku.

Mama, gdy znalazła się na dachu i zobaczyła ulicę głęboko w dole, bardzo się przeraziła. O mało nie zemdlała i musiała trzymać się komina.

— Braciszku, obiecaj, że nigdy tu nie wejdziesz sam — powiedziała.

Braciszek zastanawiał się chwilę.

— Dobrze — odparł wreszcie. — Nigdy tu nie wejdę sam... chociaż może się zdarzyć, że p r z y f r u n ę z Karlssonem — dodał dość cicho.

Jeżeli mama tego nie usłyszała, to naprawdę sama sobie winna. Zresztą dlaczego nie pozwala Braciszkowi odwiedzać Karlssona? Widocznie nie ma pojęcia, jak dobrze można się bawić w jego zaśmieconym pokoiku, gdzie jest tyle różnych rzeczy.

„Teraz naturalnie wszystko to się skończy — myślał gorzko Braciszek. — I to tylko z powodu tego idiotycznego artykułu w gazecie".

— Powiedz Karlssonowi, żeby uważał — odezwał się tata. — Niech tyle nie fruwa przez jakiś czas. Możecie przecież siedzieć w twoim pokoju, tam go z pewnością nikt nie zobaczy.

— Ale wyrzucę go, jeżeli będzie rozrabiał! — zagroziła mama.

Postawiła na stole w kuchni talerz kaszki dla Braciszka, Bimbo też dostał trochę w swojej misce. Tata pożegnał się i poszedł do biura. Okazało się, że mama również musi wyjść na miasto.

— Idę do agencji turystycznej zobaczyć, czy znalazłaby się dla nas jakaś ciekawa wycieczka, jak tylko tata dostanie urlop — powiedziała, całując Braciszka. — Zaraz wrócę.

Tak więc Braciszek został sam. Sam z Bimbem, kaszką i swoimi myślami. No i z gazetą. Leżała obok i Braciszek zerkał na nią co jakiś czas. Pod notatką o Karlssonie było ładne zdjęcie dużego, białego parowca, który zawinął do Sztokholmu i stał w Strömmen*.

Braciszek przypatrywał mu się z zachwytem. Ach, jaki był piękny! Chętnie zobaczyłby taki statek w rzeczywistości i popływał na nim po morzu!

* Strömmen — zatoka i port w centrum Sztokholmu.

Starał się patrzeć tylko na statek, ale oczy wciąż mu się zatrzymywały na tej wstrętnej rubryce:

LATAJĄCA BECZKA CZY CO?

Braciszek był naprawdę zmartwiony. Musi jak najszybciej pomówić z Karlssonem, ale tak, żeby go zanadto nie nastraszyć, bo kto wie, czy Karlsson nie przerazi się do tego stopnia, że odleci i więcej nie wróci. Braciszek westchnął. A potem mimo woli włożył łyżkę kaszki do ust. Nie połknął jej jednak, tylko trzymał na języku, jakby dla spróbowania. Bo Braciszek był jednym z tych bardzo wielu małych, chudych i niewyrośniętych chłopców bez apetytu. Zawsze grzebał i grzebał w talerzu, i strasznie długo trwało, zanim skończył jeść.

„Niedobra ta kaszka" — pomyślał. Może zrobi się trochę lepsza, jeżeli dosypie cukru. Wziął cukiernicę, ale w tym momencie usłyszał za oknem warkot motoru i nagle do kuchni wleciał Karlsson.

— Hejsan, hoppsan, Braciszku! — zawołał. — Zgadnij, kto jest najlepszym przyjacielem na świecie, i zgadnij, dlaczego akurat teraz się zjawia?

Braciszek szybko połknął to, co miał w ustach.

— Najlepszy przyjaciel na świecie to przecież ty, Karlssonie! Ale nie wiem, dlaczego teraz przyleciałeś.

— Zgaduj do trzech razy — odparł Karlsson. — Dlatego, że zatęskniłem za tobą, ty mały głuptasie, albo dlatego, że poleciałem źle i rundka nad Kungsträdgården*

* Kungsträdgården — duży skwer w centrum Sztokholmu, potocznie nazywany Kungsan.

11

nie wyszła mi tak, jak chciałem, albo dlatego, że poczułem zapach kaszki. No zgaduj!

Twarz Braciszka rozjaśniła się.

— Dlatego, że zatęskniłeś za mną — powiedział nieśmiało.

— Źle — odparł Karlsson. — Wcale zresztą nie chciałem lecieć do Kungsan, więc możesz tego nie zgadywać.

„Kungsan — pomyślał Braciszek — ojej, tam Karlsson w żadnym razie nie powinien latać, ani w ogóle nigdzie,

gdzie roi się od ludzi, którzy mogliby go zobaczyć. Muszę mu to wreszcie wytłumaczyć".

– Słuchaj, Karlsson – zaczął, ale zaraz stracił wątek, bo nagle zauważył, że Karlsson ma niezadowoloną minę i patrzy ponuro na Braciszka, wydymając wargi.

– Przylatujesz strasznie wygłodzony – powiedział – a tu nie ma nikogo, kto by ci podał krzesło i postawił talerz, kto by ci zawiązał serwetę na szyi i nałożył dużo kaszki, i mówił, że jedną łyżkę trzeba zjeść za mamę, jedną za tatę i jeszcze jedną za ciocię Augustę...

– Kto to jest ciocia Augusta? – zapytał zaciekawiony Braciszek.

– Nie mam pojęcia – odpowiedział Karlsson.

– W takim razie nie musisz jeść za nią kaszki – roześmiał się Braciszek.

Ale Karlsson wcale się nie śmiał.

– Ach, więc tak uważasz. To znaczy, że można umrzeć z głodu tylko dlatego, że się nie zna wszystkich ciotek na świecie, które gdzieś tam siedzą, Bóg wie jak daleko stąd, może w Tumba* czy w jakiejś innej dziurze.

Braciszek prędko postawił talerz i poprosił Karlssona, żeby sobie wziął kaszki z garnka. Karlsson, nadal trochę naburmuszony, zaczął nabierać. Nabierał i nabierał, aż w końcu pomógł sobie palcem wskazującym, wyskrobując nim brzeg garnka do czysta.

– Twoja mama jest fajna – powiedział. – Szkoda tylko, że taka okropnie skąpa. Dużo kaszki widziałem w życiu, ale nigdy tak mało.

* Tumba – część Sztokholmu.

13

Wysypał całą cukiernicę na talerz i zabrał się do jedzenia. Przez pierwszych kilka minut w kuchni rozlegało się wielkie mlaskanie, jak przy jedzeniu kaszki w błyskawicznym tempie.

— Niestety, nie starczyło na łyżkę dla cioci Augusty — powiedział Karlsson, wycierając usta. — Ale widzę bułeczki! Spokój, grunt to spokój, droga ciociu Augusto, siedź sobie całkiem spokojnie w swoim Tumba, bo jeszcze wetnę ze dwie bułeczki. Albo może trzy... albo cztery... albo pięć! Podczas gdy Karlsson jadł, Braciszek zastanawiał się, w jaki sposób najlepiej go przestrzec. Może niech po prostu sam o tym przeczyta, więc z pewnym wahaniem podsunął mu gazetę.

— Popatrz tylko na pierwszą stronę — odezwał się posępnym głosem.

Karlsson spojrzał. Przyglądał się z dużym zainteresowaniem, a potem pokazał małym, grubym palcem na zdjęcie białego parowca.

— Ojej, znowu jakiś statek się przewrócił — rzekł. — Same tylko nieszczęścia.

— E tam, trzymasz gazetę do góry nogami — powiedział Braciszek.

Od dawna podejrzewał, że Karlsson nie umie zbyt dobrze czytać. Ale Braciszek miał dobre serce i nie chciał nikogo martwić, zwłaszcza Karlssona, dlatego powstrzymał się od uwagi: „Aha, nie umiesz czytać" i tylko odwrócił gazetę, jak należy, żeby Karlsson zobaczył, że statek wcale nie uległ wypadkowi.

— Ale tu jest o innych nieszczęściach — powiedział.

— Posłuchaj!

I przeczytał Karlssonowi na głos o latającej beczce i małym, groźnym szpiegu, którego musi się złapać, o nagrodzie i w ogóle o wszystkim.

— Trzeba tylko dostarczyć tę rzecz do redakcji gazety i odebrać pieniądze — zakończył, wzdychając.

Karlsson natomiast wcale nie westchnął, tylko szalenie się ucieszył.

— Hoj, hoj! — wykrzyknął i parę razy wesoło podskoczył. — Hoj, hoj, ten mały, wstrętny szpieg już właściwie jest złapany. Zadzwoń do redakcji i powiedz, że dostarczę go jeszcze dziś po południu.

— Co masz na myśli? — zapytał przerażony Braciszek.

— Zgadnij, kto najlepiej na świecie umie łapać szpiegów — powiedział Karlsson, wskazując dumnie na siebie.

— Niżej podpisany! Wystarczy, że przyfrunę z moją dużą siatką na muchy. Jeżeli ten jakiś okropny szpieg fruwa sobie nad Vasastan, złapię go do siatki jeszcze przed wieczorem, możesz być pewny... ale, ale, czy masz jakąś walizkę, do której weszłoby dziesięć tysięcy koron?

Braciszek znowu westchnął. Sprawa wyglądała na jeszcze trudniejszą, niż przypuszczał. Karlsson jakby niczego nie pojmował.

— Kochany, nie rozumiesz, że to ty jesteś tą latającą beczką, oni ciebie chcą złapać, to przecież jasne!

Karlsson osłupiał i przestał radośnie podskakiwać. Coś w nim zabulgotało, tak jakby się nagle zakrztusił. Spojrzał wściekłym wzrokiem na Braciszka.

— Latająca beczka! — wrzasnął. — Ty mnie nazywasz latającą beczką! I to ciebie mam uważać za najlepszego przyjaciela, a fe!

Wyprostował się, żeby się wydać wyższym, i równocześnie wciągnął brzuch, ile tylko mógł.

— Może nie zauważyłeś — powiedział wyniośle — że jestem pięknym, nadzwyczaj mądrym i w miarę tęgim mężczyzną w sile wieku, nie zauważyłeś tego, co?

— Ależ tak, Karlssonie, naturalnie, że tak — wyjąkał Braciszek. — Ale nic nie poradzę na to, co piszą w gazetach. Im o ciebie chodzi, możesz mi wierzyć.

W Karlssonie wzbierał gniew.

— Wystarczy przynieść tę rzecz do redakcji pisma! — zawołał z goryczą. — Rzecz! — krzyczał dalej. — Ten, kto nazywa mnie rzeczą, dostanie taki cios między oczy, że mu nos odpadnie.

Kilka razy groźnie podskoczył w stronę Braciszka, ale nie powinien był tego robić, bo nagle Bimbo się ożywił — nie mógł dopuścić, by ktoś tak krzyczał na jego pana.

— Nie, Bimbo, zostaw Karlssona — powiedział Braciszek i Bimbo dał spokój. Warczał tylko trochę, żeby Karlsson zrozumiał, o co mu chodzi. Karlsson, posępny i wściekły, usiadł na stołku, kipiąc ze złości.

— Nie bawię się — powiedział. — Jak ty jesteś taki niedobry i szczujesz na mnie swoje ogary, to ja się nie bawię.

Braciszek był zrozpaczony. Nie wiedział, co mówić ani co robić.

— Nic nie poradzę na to, co napisali w gazecie — wymamrotał. I zamilkł.

Karlsson, naburmuszony, też milczał. W kuchni zapanowała przygnębiająca cisza.

Nagle Karlsson parsknął głośnym śmiechem. Zerwał się ze stołka i żartobliwie walnął Braciszka w brzuch.

— A jeżeli jestem rzeczą — powiedział — to w każdym razie jestem najlepszą rzeczą na świecie, wartą dziesięć tysięcy koron, przyszło ci to na myśl? Braciszek też zaczął się śmiać. Ach, jak cudownie było widzieć, że Karlsson znów jest zadowolony!

— Jesteś, oczywiście — odpowiedział z zachwytem.

— Jesteś wart dziesięć tysięcy koron i chyba nie ma takich wielu na świecie.

— Ani jednego — zapewnił go Karlsson. — Mogę się założyć, że takie, na przykład, małe byle co jak ty nie jest warte więcej niż jedną koronę i dwadzieścia pięć öre*.

Przekręcił guzik startera i uszczęśliwiony wzniósł się w górę, po czym wesoło pokrzy-kując, wykonał kilka honorowych rund dookoła lampy.

— Hoj, hoj! — wykrzykiwał. — Oto przyleciał Karlsson, wart dziesięć tysięcy koron, hoj, hoj!

Braciszek postanowił nie przej-mować się tym wszystkim. Karls-son nie jest przecież żadnym szpie-giem i policja nie ma prawa go aresztować tylko za to, że jest Karl-ssonem.

Uświadomił sobie nagle, że ma-ma i tata wcale nie o to się bali. Niepokoili się, rzecz jasna, ale tym, że gdyby urządzono polowanie na

* Öre — moneta szwedzka, 1/100 korony.

Karlssona, nie dałoby się utrzymać go dłużej w tajemnicy. Braciszek nie sądził jednak, by mogło mu się stać coś naprawdę złego.

– Nie bój się, Karlssonie – odezwał się, chcąc go pocieszyć. – Nie mogą ci zrobić krzywdy tylko dlatego, że jesteś, kim jesteś.

– Pewnie, że nie – odparł Karlsson. – Każdy ma prawo być Karlssonem. Choć jak dotąd istnieje tylko jeden mały, piękny i w miarę tęgi egzemplarz.

Byli teraz w pokoju Braciszka i Karlsson rozglądał się, jakby czegoś szukał.

– Może masz jakąś maszynę parową, którą moglibyśmy wysadzić w powietrze, albo coś innego, co dobrze wybucha? Żeby był duży huk i żeby było wesoło, bo jak nie, to się nie bawię – powiedział, ale w tym samym momencie dostrzegł na stole papierową torebkę i rzucił się na nią jak jastrząb. Mama położyła ją tam wczoraj wieczorem, była w niej piękna, duża brzoskwinia, która teraz mieniła się w jego pulchnych dłoniach.

– Możemy się podzielić – zaproponował szybko Braciszek. Bardzo lubił brzoskwinie i zdał sobie sprawę, że chcąc dostać chociaż kawałek, musi się pośpieszyć.

– Chętnie – odparł Karlsson. – Podzielimy się, ja wezmę brzoskwinię, a ty torebkę. Lepiej na tym wyjdziesz, bo z torebką można mieć nie byle jaką zabawę.

– O nie – sprzeciwił się Braciszek. – Podzielimy brzoskwinię, a potem weźmiesz sobie torebkę.

Karlsson kiwał głową z dezaprobatą.

– W życiu nie widziałem tak żarłocznego chłopca – powiedział. – Ale niech ci będzie.

Potrzebowali noża do podzielenia brzoskwini, więc Braciszek pobiegł do kuchni. Gdy wrócił, Karlssona nie było. Braciszek zobaczył go jednak, schowanego pod stołem, a spod stołu dochodziło pełne zapału mlaskanie, tak jakby ktoś w zawrotnym tempie zjadał soczystą brzoskwinię.

– Co ty robisz? – zaniepokoił się Braciszek.

– Dzielę – odparł Karlsson, przełykając łapczywie ostatni kęs. Wypełzł spod stołu, umazany brzoskwiniowym sokiem cieknącym mu po brodzie, wyciągnął pulchną rękę do Braciszka i podał mu pomarszczoną, brązową pestkę.

— Zawsze chcę, żebyś miał to, co najlepsze — powiedział. — Jak zasadzisz tę pestkę, to ci wyrośnie całe drzewko brzoskwiniowe obwieszone brzoskwiniami. Przyznaj, że jestem najlepszy na świecie i nie narzekam, mimo że przypadła mi tylko jedna nędzna brzoskwinia.

Zanim Braciszek zdążył cokolwiek przyznać, Karlsson rzucił się do okna, gdzie na parapecie stała w doniczce różowa pelargonia.

— A ponieważ jestem taki miły, to ci jeszcze pomogę ją zasadzić — powiedział Karlsson.

— Nie rób tego! — zawołał Braciszek.

Ale już było za późno. Karlsson wyrwał pelargonię z doniczki i nim Braciszek zdążył go powstrzymać, wyrzucił kwiat przez okno.

— Nie wygłupiaj się — zaczął Braciszek, ale Karlsson nie słuchał go.

— Całe wielkie drzewko brzoskwiniowe! Pomyśl tylko! Będziesz mógł na swoje pięćdziesiąte urodziny zaprosić, kogo tylko zechcesz, na leguminę brzoskwiniową. Czy to nie będzie wspaniale?

— Owszem, ale będzie równie wspaniale, jak mama zobaczy, że wyrwałeś jej pelargonię — powiedział Braciszek. — A teraz pomyśl, a nuż jakiś facet na ulicy dostał nią w głowę, co on powie?

— Powie: „Dziękuję ci, drogi Karlssonie — odparł Karlsson. — Dziękuję, drogi Karlssonie, za to, że wyrwałeś pelargonię, a nie wyrzuciłeś jej razem z doniczką... co niemądra mama Braciszka uważałaby za wskazane".

— Mama na pewno by tak nie uważała — zaprotestował Braciszek. — Co chcesz przez to powiedzieć?

Karlsson wcisnął pestkę do doniczki i energicznie zagrzebał ją w ziemi.

— A właśnie, że tak — stwierdził. — Twoja mama chce, żeby pelargonia mocno siedziała w doniczce. Wówczas jest zadowolona. Nie obchodzi jej, że w ten sposób stwarza śmiertelne niebezpieczeństwo dla facetów na ulicy. Jeden więcej, czy jeden mniej, to bez znaczenia, twierdzi twoja mama, byle nikt nie wyrwał jej pelargonii z doniczki.

Karlsson wbił wzrok w Braciszka.

— A gdybym teraz wyrzucił też doniczkę, gdzie byśmy zasadzili drzewko brzoskwiniowe, pomyślałeś o tym?

21

Braciszek w ogóle o niczym nie pomyślał i nie umiał odpowiedzieć. Trudno było dyskutować z Karlssonem, kiedy ogarniał go taki nastrój. Na szczęście jednak humor zmieniał mu się co kwadrans i teraz zachichotał nagle z zadowoleniem.

— Została nam torebka — rzekł. — Z torebkami można mieć pyszną zabawę.

Braciszek nigdy dotąd tego nie zauważył.

— W jaki sposób? — zdziwił się. — Co można zrobić z torebką?

Karlssonowi zaświeciły się oczy.

— Najstraszniejszy huk na świecie — odpowiedział.

— Hoj, hoj, jaki huk! Zaraz go usłyszysz!

Wziął torebkę i prędko pobiegł z nią do łazienki.

Braciszek, zaciekawiony, poszedł za nim. Chciał się dowiedzieć, jak się robi najstraszniejszy huk na świecie.

Karlsson stał pochylony nad wanną i napełniał torebkę wodą z kranu.

— Zgłupiałeś? — zdziwił się Braciszek. — Nie da się nalać wody do papierowej torebki, wiesz chyba.

— A co to jest? — zapytał Karlsson, podsuwając Braciszkowi pod nos pękającą niemal torebkę. Trzymał ją tak przez chwilę, żeby Braciszek zobaczył, że jak najbardziej można nalewać wodę do papierowych torebek. Potem, z torebką w garści, szybko pobiegł do pokoju Braciszka.

Braciszek popędził za nim, pełen najgorszych przeczuć. I nie bez powodu... Karlsson wisiał w oknie, widać było tylko jego krągłe siedzenie i pękate nóżki.

— Halo, halo! — wrzasnął. — Patrzcie w górę, wy tam na dole, zaraz będzie kolosalny huk!

— Nie rób tego! — krzyknął Braciszek i też się szybko wychylił z okna. — Nie, Karlsson, nie! — wołał ze strachem.

Było jednak za późno. Torebka już leciała. Braciszek zobaczył, jak spadła niczym bomba prosto pod nogi jakiejś nieszczęsnej paniusi, która wchodziła właśnie do sklepu nabiałowego i której wyraźnie nie spodobał się najstraszniejszy na świecie huk.

— Baba tak wyje, jakby spadła doniczka — obruszył się Karlsson. — A to tylko trochę zwykłej wody.

Braciszek zatrzasnął okno. Nie chciał, żeby Karlsson wyrzucił jeszcze inne rzeczy.

— Tak się nie robi — powiedział poważnie.

Wtedy Karlsson wybuchnął śmiechem. Poszybował pod sufit i, zatoczywszy krąg wokół lampy, patrzył z chichotem w dół na Braciszka.

— Tak się nie robi — przedrzeźniał go. — A jak uważasz, że trzeba robić, w takim razie? Wyrzucić torebkę pełną zgniłych jaj, co? Czy to jeszcze jeden z dziwnych pomysłów twojej mamy?

Sfrunął i wylądował z łomotem przed Braciszkiem.

— Ty i twoja mama jesteście najbardziej osobliwymi postaciami na świecie — powiedział, klepiąc Braciszka po policzku. — Ale mimo to lubię was, dziwnym trafem.

Braciszek poczerwieniał z radości. Jak miło słyszeć, że Karlsson go lubi i że lubi też mamę, choć nie zawsze tak to wyglądało.

— Sam jestem tym zdziwiony — powiedział Karlsson. Nie przestawał przy tym poklepywać Braciszka. Klepał go wytrwale i dokładnie, i coraz mocniej. W końcu Braciszek otrzymał prawdziwy policzek. Wtedy Karlsson powiedział: — Ach, jaki jestem miły! Najmilszy na świecie. I dlatego chciałbym się teraz zabawić w coś miłego. Co ty na to?

Braciszek był tego samego zdania i natychmiast zaczął się zastanawiać, jaką by można wymyślić miłą zabawę z Karlssonem.

— Na przykład — zaproponował Karlsson — możemy się bawić, że ten stół jest naszą tratwą, na której się ratujemy podczas wielkiej powodzi... a powódź właśnie się zaczyna!

Pokazał na strużkę wody wypływającą pomału spod drzwi.

Braciszek wstrzymał oddech.

— To ty nie zakręciłeś kranu w łazience? — zapytał przerażony.

Karlsson przekrzywił głowę na bok i przyglądał mu się dobrotliwie.

— Zgaduj do trzech, zakręciłem czy nie?

Braciszek otworzył drzwi do przedpokoju — no i tak, Karlsson miał rację, wielka powódź już się zaczęła. W łazience i w przedpokoju było tyle wody, że kto chciał, mógł się w niej pluskać. Karlsson chciał. Zachwycony wskoczył obiema nogami w wodę.

— Hoj, hoj! — zawołał. — Są dnie, kiedy zdarzają się same przyjemne rzeczy.

Braciszek zakręcił kran w łazience i wypuścił wodę z przelewającej się wanny, po czym opadł na krzesło i patrzył z rozpaczą na powstałe spustoszenie.

— Ojej! — westchnął. — Ojej, co mama powie?

Karlsson nagle przestał skakać i spojrzał na niego z oburzeniem.

— No wiesz! — powiedział. — Jak ona może mieć o to pretensję, ta twoja mama?! Przecież to tylko trochę zwyczajnej wody.

I znowu podskoczył, porządnie ochlapując Braciszka.

— To nawet całkiem przyjemna woda — stwierdził.

— Można tu moczyć nogi za darmo. Twoja mama nie lubi moczyć nóg?

Znów zaczął skakać, jeszcze bardziej chlapiąc wodą na Braciszka.

— Czy ona nigdy nie myje nóg? I całymi dniami tylko bez przerwy wyrzuca doniczki?

Braciszek nie odpowiadał. Miał o czym myśleć! Ale po chwili znów życie w niego wstąpiło. Ojej, trzeba

przecież pościerać tę wodę, ile tylko się da, przed powrotem mamy.

— Karlsson, musimy się śpieszyć... — powiedział, zrywając się z krzesła. Wybiegł do kuchni i wrócił zaraz z kilkoma szmatami do podłogi. — Karlsson, pomagaj — zaczął.

Ale Karlssona nie było. Ani w łazience, ani w przedpokoju, ani w pokoju Braciszka. Braciszek usłyszał natomiast warkot motoru na dworze. Skoczył do okna i zobaczył coś, co przypominało lecącą pękatą kiełbaskę.

— Latająca beczka czy co? — wymamrotał.

Nie, nie żadna latająca beczka! To po prostu Karlsson w drodze do swojego zielonego domku na dachu.

Ale Karlsson zauważył Braciszka. Błyskawicznie zanurkował i przemknął przed oknem tak szybko, że aż powietrze zagwizdało. Braciszek gwałtownie zamachał na niego szmatą, a Karlsson odpowiedział mu, machając małą, pulchną ręką.

— Hoj, hoj! — zawołał. — Oto jest Karlsson za dziesięć tysięcy koron, hoj, hoj!

I zniknął. A Braciszek ze szmatami w obu rękach poszedł do przedpokoju ścierać wodę.

Karlsson przypomina sobie,
że są jego urodziny

Całe szczęście dla Karlssona, że go nie było, kiedy mama wróciła z biura podróży, bo oczywiście bardzo się rozgniewała, i z powodu pelargonii, i rozlanej wody, mimo że Braciszek zdołał ją prawie całkiem wytrzeć.

Mama domyśliła się od razu, kto tu był, a gdy tata wrócił do domu na kolację, o wszystkim mu opowiedziała.

– Wiem, że powinnam się wstydzić – rzekła – bo już zaczęłam się jako tako przyzwyczajać do Karlssona, ale czasami chętnie zapłaciłabym z własnej kieszeni dziesięć tysięcy koron, byle się go pozbyć.

– A fe – odezwał się Braciszek.

– No dobrze, nie mówmy więcej na ten temat – powiedziała mama. – Podczas jedzenia musi być przyjemnie.

Mama stale powtarzała: „Podczas jedzenia musi być przyjemnie". Braciszek był tego samego zdania. I rzeczywiście było im bardzo przyjemnie, kiedy siedzieli wszyscy razem przy stole, jedli i rozmawiali o najróżniejszych rzeczach. Braciszek więcej mówił, niż jadł, zwłaszcza gdy był gotowany dorsz albo zupa jarzynowa, albo kotleciki ze śledzi. Dziś jednak mama przygotowała sznycle cielęce i truskawki, a to dlatego, że właśnie zaczęły się letnie wakacje i Bosse i Bettan mieli wyjechać; Bosse na kurs żeglarski, a Bettan na fermę, gdzie były konie.

Należało więc przygotować im małą ucztę pożegnalną; mama lubiła robić od czasu do czasu takie małe uczty.

— Nie martw się, Braciszku — powiedział tata. — My też gdzieś pojedziemy, mama, ty i ja.

I oznajmił wielką nowinę. Mama była w biurze podróży i zamówiła bilety na rejs statkiem, takim właśnie jak ten, który Braciszek widział w gazecie. Mieli wyruszyć za tydzień i przez dwa tygodnie pływać na białym statku i zawijać do najrozmaitszych portów.

— Przyjemnie będzie, prawda? — zapytała mama. Tata też tak zapytał. I Bosse, i Bettan zapytali: „Fajnie będzie, co? Przyznaj, Braciszku!".

— Tak — odpowiedział Braciszek, zdając sobie sprawę, że to rzeczywiście mogłoby być przyjemne. Lecz równocześnie czuł, że coś nie jest w porządku, i od razu zrozumiał, o co chodzi. Karlsson! Miałby go zostawić samego akurat teraz, kiedy Karlsson naprawdę go potrzebował? Braciszek już się nad tym głębiej zastanawiał podczas likwidowania wielkiej powodzi. Nawet jeżeli Karlsson nie jest żadnym szpiegiem, tylko po prostu Karlssonem, mogłyby się zdarzyć niedobre rzeczy, gdyby ludzie zaczęli gonić za nim, chcąc zarobić dziesięć tysięcy koron. Kto wie, do czego by doszło, może wsadziliby Karlssona do klatki w Skansenie* albo wymyślili coś równie okropnego.

Jedno było pewne: nie daliby mu mieszkać nadal w domku na dachu.

Więc Braciszek postanowił zostać w domu i mieć pieczę nad Karlssonem. Teraz, siedząc przy kolacji i skubiąc kotlet cielęcy, wyjaśnił dokładnie, o co mu chodzi.

* Skansen — krajoznawcze muzeum etnograficzne pod gołym niebem, gdzie eksponowane są zabytki budownictwa ludowego, sprzęty i narzędzia danego regionu. W skansenie sztokholmskim mieści się też ogród zoologiczny.

Bosse zaczął się śmiać.

— Karlsson w klatce w Skansenie... ojej! Wyobraź sobie, Braciszku, że pójdziecie tam z twoją klasą i będziecie oglądać po kolei różne zwierzęta i czytać napisy: niedźwiedź polarny, łoś, wilk, bóbr i Karlsson.

— Tsss — przerwał mu Braciszek.

Bosse chichotał.

— „Karlsson. Tego zwierzęcia nie wolno karmić". Wyobrażasz sobie, jak by go taki napis rozzłościł!

— Głupi jesteś — burknął Braciszek. — Naprawdę.

— Ależ, Braciszku — wtrąciła się mama — gdybyś z nami nie pojechał, my też musielibyśmy zostać w domu. Chyba zdajesz sobie z tego sprawę?

— Wcale nie musicie — odparł Braciszek. — Karlsson i ja możemy razem gospodarować.

— Ho, ho — odezwała się Bettan. — I zalać wodą cały dom, co? I wyrzucić przez okno wszystkie meble?

— Głupia jesteś — odciął się Braciszek.

Tym razem przyjemny nastrój, towarzyszący zwykle wspólnym posiłkom, prysnął całkowicie. Braciszek, choć był bardzo grzecznym i miłym chłopcem, potrafił od czasu do czasu okropnie się uprzeć. Teraz zawziął się do tego stopnia, że nie docierały do niego żadne argumenty.

— Posłuchaj, mój mały... — zaczął tata. Musiał jednak przerwać, bo w tej samej chwili dał się słyszeć stukot w szparze na listy. Bettan zerwała się od stołu, wcale nawet nie prosząc o pozwolenie, spodziewała się bowiem listów od różnych długowłosych chłopaków. Dlatego tak jej się śpieszyło, by znaleźć się w przedpokoju jako pierwsza. I rzeczywiście, na wycieraczce leżał list, ale nie był to list do niej od któregoś z długowłosych chłopców... wręcz przeciwnie. List był do taty od wuja Juliusa, który w ogóle nie miał włosów.

— Podczas jedzenia ma być przyjemnie — stwierdził Bosse.

— Nie powinny wtedy przychodzić listy od wuja Juliusa.

Był on dalekim krewnym taty i raz w roku przyjeżdżał do Sztokholmu, żeby odwiedzić rodzinę Svantessonów i pójść do lekarza. Wuj Julius nie chciał mieszkać w hotelu, bo uważał, że to za drogo. Pieniędzy miał jak lodu, ale był bardzo oszczędny. Nikt w rodzinie Svantessonów nie cieszył się zbytnio z odwiedzin wuja Juliusa. A najmniej tata. Lecz mama zawsze mówiła:

— Żal mi go. Jesteś przecież jego jedynym krewnym. Musimy być mili dla biednego wuja Juliusa.

Jednakże po kilku dniach jego pobytu, kiedy cały czas robił uwagi o dzieciach, krytykował jedzenie i narzekał dokładnie na wszystko, mama, z głęboką zmarszczką na czole, stawała się równie milcząca i dziwna jak tata, gdy tylko wuj Julius przekraczał ich próg. Bosse i Bettan unikali go. W czasie jego pobytu prawie nigdy nie było ich w domu.

— Jeden tylko Braciszek jest dla niego jako tako miły — powtarzała zawsze mama. Ale i Braciszek potrafił się nim zmęczyć, a kiedy wuj Julius ostatnio ich odwiedził, Braciszek narysował jego podobiznę w swoim bloku rysunkowym, a pod spodem napisał: „On jest głupi".

Wuj Julius przypadkowo to zobaczył i powiedział:

— Niezbyt udany ten koń!

ULICA

POKÓJ BOSSEGO

POKÓJ BRACISZKA

SALON

ŁAZIENKA

HALL

PRZEDPOKÓJ

GARDEROBA | GARDEROBA

SYPIALNIA

POKÓJ BETTAN

KUCHNIA

KLATKA SCHODOWA

PODWÓRZE

S – szafa

Wuj nie uważał bowiem niczego za dobre. Był niewątpliwie trudnym gościem i kiedy wreszcie pakował walizkę i wracał do Västergotlandii*, cały dom, zdaniem Braciszka, jakby nagle rozkwitał i zaczynał nucić jakąś wesołą melodię.

Wszyscy mieli ochotę się śmiać i tacy byli uradowani, jakby się zdarzyło coś naprawdę przyjemnego.

Teraz jednak wybierał się do nich na co najmniej czternaście dni, tak wynikało z listu. „To będzie bardzo przyjemny pobyt" – pisał wuj. A poza tym lekarz powiedział, że potrzebna mu jest kuracja i masaże, bo rano całe ciało ma sztywne.

* Västergotlandia – prowincja w środkowej Szwecji.

– No to koniec z naszym rejsem – powiedziała mama.

– Braciszek nie chce jechać, będziemy natomiast mieli wuja Juliusa.

Wtedy tata uderzył pięścią w stół – że co do niego, to i tak zamierza odbyć rejs i zamierza zabrać ze sobą mamę, nawet gdyby miał ją wpierw porwać, a Braciszek może jechać z nimi albo zostać w domu, jak sobie życzy, proszę bardzo, niech wybiera, a wuj Julius może przyjechać i mieszkać u nich, i chodzić do doktora, ile tylko chce, albo siedzieć w Västergotlandii, jeśli woli, ale on, tata, nie zrezygnuje z rejsu, nawet gdyby miało przyjechać dziesięciu wujów Juliusów, wiedzcie o tym!

– Aha – powiedziała mama – w takim razie trzeba się nad tym wszystkim zastanowić.

A kiedy się już zastanowiła, powiedziała, że zaraz zapyta pannę Cap, która im pomagała podczas choroby mamy na jesieni, czy nie zgodziłaby się zająć ich domem przez jakiś czas i poprowadzić gospodarstwo dla dwóch upartych starych kawalerów, to znaczy dla Braciszka i wuja Juliusa.

– A także dla trzeciego upartego starego kawalera, który nazywa się Karlsson z Dachu – dodał tata. – Nie zapomnij o Karlssonie, bo on tu będzie wpadał i wypadał całymi dniami.

Bosse tak się śmiał, że o mało nie spadł z krzesła.

– Cap Domowy, wuj Julius i Karlsson z Dachu, ale dobrane towarzycho!

– I Braciszek na dodatek, nie zapomnijcie o nim – powiedziała Bettan.

Objęła Braciszka, patrząc mu w oczy z zadumą.

— I pomyśleć, że są tacy jak mój Braciszek — powiedziała. — Woli zostać w domu z panną Cap i wujem Juliusem, niż odbyć wspaniały rejs z mamą i tatą.

Braciszek uwolnił się z jej objęć.

— Jak się ma najlepszego przyjaciela, to trzeba o niego dbać — rzekł ponuro.

Nie myślcie, że nie wiedział, ile to będzie pracy! Po prostu straszna harówka, mając Karlssona trzepoczącego się koło uszu wuja Juliusa i pannę Cap. No tak, naprawdę potrzebny był ktoś, kto zostałby w domu i dał sobie radę z całym tym bałaganem.

— I to muszę być ja, rozumiesz, Bimbo — powiedział, leżąc później w łóżku, a Bimbo w odpowiedzi kichnął w swoim koszyku stojącym obok.

Braciszek wyciągnął rękę i palcem wskazującym podrapał go pod obrożą.

— Najlepiej, żebyśmy teraz spali — powiedział — bo będziemy musieli wszystkiemu stawić czoło.

Gdy to mówił, ni stąd, ni zowąd, dał się słyszeć warkot motoru i do pokoju wleciał Karlsson.

— A to ci historia! — zawołał. — O wszystkim trzeba samemu myśleć! I nie ma nikogo, kto by ci pomógł pamiętać!

Braciszek usiadł w łóżku.

— Co pamiętać?

— Że dziś są moje urodziny! Trwały przez cały długi dzień, a ja o tym zapomniałem, bo nikt mi nawet nie powiedział choćby: „Wszystkiego najlepszego”.

— Ale jak twoje urodziny mogą być osiemnastego czerwca? — zauważył Braciszek. — Obchodziłeś je przecież tuż przed Wielkanocą, o ile wiem.

— Owszem, zgadza się — odparł Karlsson. — Ale nikt przecież nie musi wiecznie trzymać się tych samych dat, kiedy jest mnóstwo innych do wyboru. Osiemnasty czerwca to dobry dzień na urodziny. Dlaczego go krytykujesz?

Braciszek roześmiał się.

— Dla mnie możesz je mieć, kiedy chcesz.

— W takim razie — powiedział Karlsson, przekrzywiając przymilnie głowę — czy mogę w takim razie otrzymać prezenty?

Braciszek wstał z łóżka, głęboko się nad czymś zastanawiając. Nie jest łatwo znaleźć w pośpiechu jakiś prezent odpowiedni dla Karlssona, ale spróbuje.

— Zajrzę do moich szuflad — powiedział.

— Zrób to — rzekł Karlsson i stał, czekając. Wtem zobaczył doniczkę, w której zasadził drzewko brzoskwiniowe, i natychmiast rzucił się na nią. Wsadził palec wskazujący do ziemi i szybko wydłubał pestkę.

— Muszę zobaczyć, ile wyrosła — powiedział. — Ojej! Zdaje się, że kolosalnie.

Potem równie szybko wcisnął pestkę z powrotem i wytarł umazane ziemią palce w piżamę Braciszka.

— Za dziesięć, dwadzieścia lat będziesz miał wspaniale.

— Jak to?

— Będziesz mógł ucinać sobie poobiednią drzemkę w cieniu drzewka brzoskwiniowego, to dopiero szczęście, co? Bo łóżko i tak musisz wyrzucić. Nie można trzymać tylu mebli, mając drzewko brzoskwiniowe.... No i co, znalazłeś jakiś prezent?

Braciszek pokazał mu jeden ze swoich samochodzików, ale Karlsson potrząsnął przecząco głową. Braciszek próbował po kolei: układankę, grę w chińczyka i torebkę z kamiennymi kulkami, ale Karlsson za każdym razem potrząsał głową. Wtedy Braciszek zrozumiał, co Karlsson chce mieć — pistolet! Leżał głęboko w prawej szufladzie biurka, w pudełku po zapałkach. Był to najmniejszy i najpiękniejszy na świecie pistolet. Tata przywiózł go kiedyś Braciszkowi z jakiejś zagranicznej podróży, a Krister i Gunilla zazdrościli mu go przez kilka dni, bo takiego pistoletu nikt jeszcze nie widział. Mimo że był taki maleńki, wyglądał zupełnie jak prawdziwy, a gdy się z niego strzelało, huk był równie głośny jak z prawdziwego pistoletu. Tata powiedział, że trudno pojąć, jak to może tak donośnie strzelać.

— Musisz być ostrożny — powiedział, kładąc go na dłoni Braciszka. — Pamiętaj, żebyś nie napędzał ludziom śmiertelnego stracha.

Z pewnych przyczyn Braciszek nie pokazywał dotąd pistoletu Karlssonowi. Przyznawał sam, że niezbyt ładnie postępuje, ale i tak na nic się to nie zdało, bo właśnie wczoraj Karlsson odkrył go, przetrząsając gruntownie wszystkie szuflady w biurku Braciszka.

Karlsson też był zdania, że to bardzo piękny pistolet. „Może właśnie dlatego chce mieć dziś urodziny"— pomyślał Braciszek i z lekkim westchnieniem wyjął pudełko po zapałkach.

— Z najlepszymi życzeniami urodzinowymi, Karlsson — powiedział.

Karlsson najpierw zawył, potem doskoczył do Braciszka i wycałował go energicznie w oba policzki, a następnie otworzył pudełko i rechocząc z radości, wyciągnął pistolet.

— Najlepszym przyjacielem na świecie jesteś ty, Braciszku — oświadczył.

Braciszek poczuł się nagle taki wesoły i zadowolony, jakby miał sto pistoletów, i cieszył się z całego serca, że Karlsson dostał ten jeden jedyny, malutki, do którego on sam był tak bardzo przywiązany.

— Wiesz, ja go naprawdę potrzebuję — powiedział Karlsson. — Potrzebuję go wieczorami.

— Do czego? — zaniepokoił się Braciszek.

— Jak leżę i liczę owce — odpowiedział Karlsson.

Skarżył się czasem Braciszkowi, że ma duże trudności ze snem.

– W nocy śpię jak kamień – mówił – i przed południem też. Ale po południu nic, tylko leżę i rzucam się, a bywa, że i wieczorem nie mogę zasnąć.

Żeby temu zaradzić, Braciszek nauczył go pewnego sposobu. Jeżeli nie można zasnąć, trzeba zamknąć oczy i udawać, że się widzi mnóstwo owiec przeskakujących przez płot. Wszystkie owce należy liczyć jedną po drugiej w chwili, gdy skaczą, a od tego liczenia ogarnia taka senność, że się niespodziewanie zasypia.

– Wiesz, nie mogłem dziś wieczór zasnąć – powiedział Karlsson. – Leżałem więc i liczyłem owce. A tymczasem jedna mała, złośliwa owca nie chciała przeskoczyć płotu, nie chciała i już.

Braciszek zaśmiał się.

– Dlaczego nie chciała?

– Tylko dlatego, żeby robić trudności i szukać zwady – odparł Karlsson. – Stała przy płocie nadąsana i ani rusz nie chciała skoczyć. Wtedy właśnie pomyślałem sobie, że gdybym miał pistolet, tobym ją zaraz nauczył skakać, i przypomniałem sobie, że ty, Braciszku, masz takowy w biurku, a potem przypomniałem sobie, że dziś są moje urodziny – powiedział Karlsson, z zadowoleniem poklepując pistolet.

I natychmiast postanowił wypróbować swój prezent urodzinowy.

– Huk niech będzie i wesoło, a jak nie, to się wcale nie bawię!

Braciszek zaprotestował bardzo stanowczo:

– W żadnym razie! Obudziłbyś cały dom.

Karlsson wzruszył ramionami.

— No i co z tego? Drobiazg, zasną przecież drugi raz! Jeżeli nie mają własnych owiec, żeby je liczyć, mogą pożyczyć moje.

Braciszek nie chciał się jednak zgodzić na żadne strzelanie. Wtedy Karlssonowi przyszedł do głowy pomysł.

— Polecimy do mnie — powiedział. — Należy mi się uczta urodzinowa... A jakiś tort jest?

Braciszek musiał przyznać, że nie ma żadnego tortu, a kiedy Karlsson zaczął narzekać, Braciszek powiedział, że to przecież drobiazg.

— Tort nie jest drobiazgiem — odparł twardo Karlsson.

— Ale spróbujemy wybrnąć z tego za pomocą bułeczek. Idź i przynieś wszystkie, jakie są.

Braciszek pomknął do kuchni i wrócił z pokaźnym zapasem. Mama pozwoliła mu, raz na zawsze, dawać Karlssonowi bułeczki, gdyby tylko zaszła taka potrzeba. A teraz naprawdę ich potrzebował. Mama nigdy jednak nie pozwoliła mu latać z Karlssonem na dach, ale o tym Braciszek, prawdę mówiąc, zapomniał i byłby zdziwiony, gdyby mu ktoś zwrócił teraz na to uwagę. Braciszek był całkiem przyzwyczajony do latania z Karlssonem, czuł się pewnie i bezpiecznie i nawet wcale go nie ściskało w dołku, kiedy, obejmując Karlssona, wyfruwał przez okno i szybował w górę do małego domku na dachu.

Czerwcowe wieczory w Sztokholmie nie mają sobie równych nigdzie na świecie. Nigdzie indziej niebo nie jaśnieje tak osobliwym blaskiem, nigdzie indziej zmierzch nie jest tak upojny i czarowny, i taki niebieski. W tym niebieskim zmierzchu miasto spoczywa na swych bladych wodach, jakby się wynurzało z jakiejś dawnej sagi, całkiem nierzeczywiste. Takie wieczory są jakby stworzone do tego, by urządzać uczty z bułeczek na ganku przed domkiem Karlssona. Braciszek nie zauważał przeważnie ani świateł na niebie, ani żadnych czarownych zmierzchów, a Karlssona nic to po prostu nie obchodziło. Lecz gdy siedzieli teraz razem, jedząc bułeczki i pijąc sok, Braciszek czuł, że ten wieczór nie jest wcale podobny do innych. Karlsson natomiast czuł, że tym razem bułeczki inaczej smakują. Braciszek uważał, że również domek Karlssona nie jest podobny do żadnego innego na świecie. Bo chyba nigdzie indziej nie ma tak uroczej chatki, tak świetnie położonej, a poza tym chyba nigdzie indziej nie ma tylu najrozmaitszych rupieci i gratów zgromadzonych w jednym miejscu. Karlsson był jak wiewiórka, która upycha swe mieszkanko do ostatniego wolnego kąta. Braciszek nie miał pojęcia, gdzie Karlsson to wszystko wynajduje, a wciąż przybywało coś nowego. Większość rzeczy wieszał na ścianach, żeby w razie potrzeby mieć do nich łatwy dostęp.

— Rupiecie mają być na lewo, graty na prawo — objaśnił Braciszka. Miał w tej rupieciarni dwa piękne obrazy, na które Braciszek lubił patrzeć. Karlsson sam je namalował. Jeden przedstawiał koguta i nosił tytuł „Portret bardzo samotnego czerwonego kogucika", drugi przedstawiał lisa i nazywał się „Portret moich królików". Co prawda króliki nie były na nim widoczne, ale Karlsson powiedział, że one są w brzuchu lisa.

— Jak znajdę trochę czasu, to namaluję też „Portret niedobrej małej owcy, która nie chce skakać" — oświadczył z ustami pełnymi bułeczki.

Braciszek ledwo go słuchał. Odgłosy i zapachy letniego wieczoru ogarniały go oszałamiającą falą, aż mu się w głowie kręciło. Czuł dochodzący z ulicy zapach kwitnących lip, słyszał gdzieś daleko w dole stuk obcasów po chodniku, ludzie spacerowali w ten piękny czerwcowy wieczór i Braciszek pomyślał, że ten stuk brzmi prawdziwie letnio. Z domów dookoła dobiegały głosy, wieczór był bardzo spokojny i wszystko było słychać niezwykle wyraźnie, ludzie rozmawiali, śpiewali albo kłócili się, krzyczeli i śmiali się, i płakali, bez ładu i składu, wcale nie wiedząc, że wysoko na dachu siedzi chłopiec i przysłuchuje się temu wszystkiemu jakby jakiejś muzyce.

„Oni nie mają pojęcia, że ja tu siedzę z Karlssonem i tak mi dobrze, i jem bułeczki" — myślał zadowolony Braciszek.

Tymczasem z okna pobliskiej mansardy* doszły ich dzikie krzyki i głośne wołania.

— Słyszysz moich łobuzów? — odezwał się Karlsson.

— A których? Myślisz o Fillem i Rullem? — spytał Braciszek.

— Tak, żadnych innych nie znam, o ile mi wiadomo — odparł Karlsson.

Braciszek wiedział o nich. Byli największymi chuliganami w całym Vasastan, a na dodatek kradli jak sroki. Któregoś wieczoru zeszłego roku włamali się do

* Mansarda — pokój na poddaszu.

Svantessonów, ale Karlsson udał ducha i tak ich wystraszył, że z pewnością jeszcze to pamiętają. Zdołali wtedy ukraść tylko jedną srebrną łyżkę.

Gdy teraz Karlsson usłyszał Fillego i Rullego, ryczących w mansardzie, gdzie mieszkali, wstał, strzepnął z siebie okruchy bułeczek i powiedział:

— Uważam, że co jakiś czas należy ich straszyć, niech się tyle nie kręcą i nie zabierają rzeczy, które do nich nie należą.

Co rzekłszy, puścił się pędem z dachu na dach, w stronę mansardy. Braciszek nigdy nie widział, żeby ktoś o tak krótkich i grubych nogach biegł tak szybko. Każdemu byłoby trudno dotrzymać mu kroku, a Braciszek nie był zbytnio przyzwyczajony do biegania po dachach, niemniej zasuwał za Karlssonem tak prędko, jak tylko potrafił.

— Ci dranie są okropni — mówił Karlsson w biegu.

— Bo ja, jak coś zwędzę, od razu za to płacę pięć öre. Na całym świecie nie ma nikogo uczciwszego ode mnie. Ale moje pięcioörówki niedługo się skończą i nie mam pojęcia, gdzie mi się uda buchnąć następne.

Fille i Rulle mieli okno otwarte, ale zasłony były zaciągnięte; słyszało się tylko, jak się za nimi wydzierają i śmieją na całe gardło.

— Zobaczymy, co jest takie zabawne — powiedział Karlsson i rozsunął odrobinę zasłony, żeby zajrzeć do środka. Braciszek też zajrzał. Zobaczył Fillego i Rullego leżących na brzuchu na brudnej podłodze, nad rozłożoną przed nimi gazetą. Czytali w niej o czymś, co ich strasznie rozśmieszało.

— Dziesięć tysięcy koron, no nie, jak pragnę zdrowia! A on sobie tu fruwa na Vasastan jak ta lala! — wrzasnął Fille, prawie dławiąc się ze śmiechu.

— Ty, Fille — powiedział Rulle — znam kogoś, kto zamierza wkrótce zarobić dziesięć tysięcy koron, ho, ho!

— Ty, Rulle — odpowiedział Fille — ja też takiego znam, co zamierza złapać małego, groźnego szpiega, hohoho!

Słysząc ich słowa, Braciszek zbladł ze strachu, ale Karlsson zaśmiał się szyderczo.

— A ja znam takiego, co sobie teraz zażartuje — powiedział, po czym wystrzelił z pistoletu. Huk poniósł się echem po dachach, a Karlsson krzyknął:

— Otwierać, policja!

Rulle i Fille zerwali się z podłogi jak oparzeni.

— Lulle, reć! — krzyknął Fille.

Chciał krzyknąć „Rulle, leć!", lecz gdy był w strachu, język mu się plątał.

— Gazu do rardegoby! — wrzasnął i obaj z Rullem rzucili się do garderoby, zatrzasnęli za sobą drzwi i tyle ich było widać. Ale zaraz rozległ się zaniepokojony głos Fillego:

— Rille i Fulle wyszli, o ile mi wolno poinformować. Nie, nie ma ich w domu, poszli sobie!

Później, kiedy Karlsson z Braciszkiem znaleźli się z powrotem na ganku przed domkiem, Braciszek siedział ze spuszczoną głową i wcale nie było mu wesoło. Zdawał sobie sprawę, jakie ciężkie czasy go czekają. Będzie przecież musiał pilnować Karlssona, który jest bardzo nieostrożny, mimo że ma tuż pod bokiem takich ludzi jak Rulle i Fille. A do tego jeszcze panna Cap i wuj Julius... ojej, zapomniał powiedzieć o nich Karlssonowi.

— Wiesz co, Karlsson — zaczął.

Ale Karlsson nie słuchał. Zabrał się do następnych bułeczek i siorbał sok z małego, niebieskiego kubka, należącego niegdyś do Braciszka.

Braciszek dał mu go w prezencie na poprzednie urodziny, przed trzema miesiącami. Karlsson trzymał go teraz mocno w obu dłoniach, tak jak to robią małe dzieci, gdy wtem — upuścił, też tak, jak to robią małe dzieci.

— Ojej — zmartwił się Braciszek, bo to był uroczy, niebieski kubek i byłaby wielka szkoda, gdyby się stłukł. Szczęściem jednak wcale się nie stłukł. Zaczął się turlać i w chwili gdy przelatywał koło nóg Karlssona, ten schwycił go zgrabnie w dwa duże palce u nóg. Mógł to zrobić, bo nie miał na sobie butów, a jego skarpetki w czerwone

paski były dziurawe i palce wystawały przez dziury jak dwie czarne kiełbaski.

– Zgadnij, kto ma najlepsze duże palce u nóg? – spytał Karlsson.

Spojrzał na nie z miłością, a potem bawił się dłuższą chwilę, chowając je i wysuwając na przemian przez dziury.

– Słuchaj, Karlsson – spróbował znowu Braciszek, ale Karlsson przerwał mu.

– Ty umiesz liczyć – powiedział. – Jeżeli ja cały jestem wart dziesięć tysięcy koron, to jak myślisz, ile pięcioörówek mógłbym dostać za moje duże palce u nóg?

Braciszek się roześmiał.

– Nie wiem. Chcesz je sprzedać?

– Tak – odparł Karlsson. – Tobie. Dostaniesz je bardzo tanio, bo są trochę używane. I... – ciągnął dalej z namysłem – jakby trochę brudne.

– Nie wygłupiaj się – powiedział Braciszek. – Nie możesz przecież obyć się bez dużych palców u nóg.

– Czy ja to powiedziałem? – odparł Karlsson. – One zostaną u mnie, ale mimo to będą twoje. Bo ja je tylko od ciebie pożyczę.

Położył nogi na kolanach Braciszka, żeby mu dać do zrozumienia, że palce już są prawie jego, i powiedział przekonującym tonem:

– Pomyśl tylko, ile razy je zobaczysz, powiesz sobie: „Te milutkie paluszki są moje!". Fajnie będzie, co?

Braciszek nie chciał jednak zawierać żadnych tego rodzaju transakcji. Obiecał natomiast dać Karlssonowi wszystkie pięcioörówki, jakie miał w skarbonce. No i chciał mu nareszcie powiedzieć to, co musiał powiedzieć.

— Słuchaj, Karlsson — zaczął znowu. — Czy zgadniesz, kto się mną zajmie, jak mama i tata będą na urlopie?

— Przypuszczam, że najlepsza na świecie niańka — odpowiedział Karlsson.

— Masz na myśli siebie? — zapytał Braciszek, choć doskonale wiedział, że tak właśnie jest.

Karlsson potwierdził to kiwnięciem głowy i dodał:

— Dam ci pięć öre, jeżeli zechcesz mi wskazać jakąś lepszą niańkę.

— Panna Cap — odpowiedział Braciszek.

Bał się, że Karlsson będzie zły o to, że mama umówiła pannę Cap, podczas gdy najlepsza na świecie niańka mieszkała na dachu tuż pod ręką. Ale dziwnym trafem Karlsson wcale się nie rozgniewał, wręcz przeciwnie, wydawał się zachwycony i podniecony tą wiadomością.

— Hoj, hoj — powiedział tylko. — Hoj, hoj!

— Co masz na myśli? — zaniepokoił się Braciszek.

— Jak mówię hoj, hoj, to mam na myśli hoj, hoj — odparł Karlsson, patrząc na niego błyszczącymi oczyma.

— I będzie też wuj Julius — ciągnął Braciszek. — Musi chodzić do doktora i leczyć się, ponieważ rano ma sztywne całe ciało.

I Braciszek opowiedział Karlssonowi, jaki uciążliwy jest wuj Julius, i że spędzi u nich całe dwa tygodnie, kiedy mama i tata będą pływali na białym statku, a Bosse i Bettan też wyjeżdżają, każde w swoją stronę.

— Zastanawiam się, jak to będzie — powiedział Braciszek z niepokojem.

— Hoj, hoj — rzekł Karlsson — czeka ich kilka tygodni, których nigdy nie zapomną.

— Myślisz o mamie i tacie czy o Bossem i Bettan? — spytał Braciszek.

— Myślę o Capie Domowym i wuju Juliusie — odparł Karlsson.

Wówczas Braciszka ogarnął jeszcze większy niepokój. Karlsson na pociechę poklepał go po policzku, mówiąc:

— Spokój, grunt to spokój! Będziemy się z nimi bawili w różne grzeczne zabawy, bo jesteśmy najgrzeczniejsi na świecie... ja w każdym razie.

I nagle wypalił z pistoletu tuż przy uchu Braciszka, który aż podskoczył z przerażenia.

— Biedny wuj Julius wcale nie będzie musiał iść do doktora i leczyć się, już ja to załatwię — powiedział Karlsson.

— W jaki sposób? — zapytał Braciszek. — Nie wiesz przecież, jak się trzeba leczyć, żeby nie mieć sztywnego ciała.

— Ja nie wiem? — odparł Karlsson. — Obiecuję ci, że dzięki mnie wuj Julius stanie się szybki i zwinny jak chart... Są na to trzy sposoby.

— Jakie? — spytał podejrzliwie Braciszek.

— Tirrytowanie, figielkowanie i wykiwywanie — powiedział Karlsson. — Innej kuracji nie trzeba.

Braciszek rozglądał się niespokojnie dookoła, bo we wszystkich domach ludzie powystawiali głowy, żeby zobaczyć, kto strzelał. Na domiar złego zauważył równocześnie, że Karlsson ładuje pistolet.

— Nie, nie, Karlsson! — zaprotestował. — Nie, nie strzelaj już!

— Spokój, grunt to spokój — odparł Karlsson. — Wiesz co — dodał po chwili — myślę nad jedną sprawą. Czy nie sądzisz, że panna Cap też ma trochę sztywne ciało?

Zanim Braciszek zdążył odpowiedzieć, Karlsson entuzjastycznie podniósł w górę pistolet i wystrzelił. Huk był taki, że echo odbiło się o dachy, a w domach dokoła odezwały się wystraszone i gniewne głosy, ktoś nawet krzyknął coś o wezwaniu radiowozu policyjnego. Słysząc to, Braciszek wpadł w rozpacz. Tymczasem Karlsson siedział sobie spokojnie i delektował się ostatnią bułeczką.

— O co oni się awanturują? — powiedział. — Nie wiedzą, że mam dziś urodziny?

Połknął resztę bułeczki i zaintonował wesołą piosenkę, która w letni wieczór ślicznie zabrzmiała:

Huk niech będzie i wesoło,
łupu-cupu, bum,
chcę bułeczek dużo
na me urodziny.
Hejsan, hoppsan i hoj, hoj.
Każdy dla mnie ma być miły,
łupu-cupu hoj,
łupu-cupu hoj.

Karlsson jest najlepszy w klasie

Tego dnia, kiedy mama i tata wyjeżdżali wieczorem w rejs, lał okropny deszcz, bił w szyby i dudnił w rynnach. Zaledwie dziesięć minut przed ich odjazdem, nie wcześniej, wpadła panna Cap, przemoknięta do nitki i zła jak sto diabłów.

— Nareszcie! — zawołała mama. — Nareszcie! Czekała na nią cały dzień i była już teraz mocno zdenerwowana. Ale panna Cap nie rozumiała tego i powiedziała niezbyt uprzejmie:

— Nie mogłam przyjść wcześniej. To wina Fridy.

Mama zamierzała omówić z nią mnóstwo spraw, teraz jednak nie było już na to czasu, bo taksówka stała przed domem.

— Najważniejszy jest nasz mały — powiedziała i łzy napłynęły jej do oczu. — Ach, żeby mu się tylko nic nie stało, jak nas nie będzie.

— Ale ja będę i nic się nie stanie — zapewniła ją panna Cap, a tata odparł, że nie ma co do tego wątpliwości.

— Jestem pewien, że wszystko będzie dobrze — powiedział, ściskając Braciszka na pożegnanie, a potem oboje z mamą wybiegli i zniknęli w windzie. No i Braciszek został sam z panną Cap.

Siedziała teraz przy stole w kuchni, wielka, gruba i zła, i przygładzała mokre włosy wielkimi, grubymi dłońmi. Braciszek patrzył na nią nieśmiało i, chcąc być uprzejmym, lekko się uśmiechał. Przypomniało mu się, że gdy pilnowała ich domu poprzednim razem, bardzo się jej bał i z początku nie lubił jej. Teraz jednak było inaczej, teraz prawie się cieszył, że jest. I nawet jeżeli mogą być kłopoty z nią i Karlssonem pod jednym dachem, Braciszek był jej wdzięczny, że zgodziła się przyjść. Bo w przeciwnym razie mama nigdy w życiu by mu nie pozwoliła zostać w domu i mieć pieczę nad Karlssonem, to było całkiem pewne. Dlatego też Braciszek chciał być dla niej miły od samego początku. Zapytał więc grzecznie:

— Jak się ma Frida?

Panna Cap prychnęła. Frida była jej siostrą. Braciszek nie znał jej, słyszał tylko niemało na jej temat. I to od samej panny Cap. Mieszkały razem w mieszkaniu na ulicy Frejgatan, ale widać nie układało im się najlepiej. Braciszek zorientował się, że panna Cap jest nastawiona podejrzliwie do siostry, a poza tym uważa, że Frida jest zarozumiała i udaje ważną. Zaczęło się od tego, że Frida wystąpiła w programie telewizyjnym o duchach i to bardzo rozdrażniło pannę Cap. Wprawdzie później ona sama, w innym programie telewizyjnym, pokazywała całemu narodowi szwedzkiemu, jak się przyrządza pyszne paprałki Hildury Cap, ale to najwyraźniej nie wystarczyło, by Fridę poskromić. Widocznie w dalszym ciągu zadzierała nosa i robiła się ważna, bo gdy Braciszek o nią zapytał, panna Cap zaczęła prychać.

— Dziękuję, ma się chyba dobrze — odpowiedziała po chwili prychania. — Zafundowała sobie narzeczonego, nieszczęsne stworzenie!

51

Braciszek nie bardzo wiedział, co się na to mówi, coś jednak musiał powiedzieć, a ponieważ chciał być uprzejmy, zapytał:

— Czy pani też ma narzeczonego?

O to jednak nie powinien był pytać, bo panna Cap zerwała się gwałtownie z krzesła i zaczęła energicznie zmywać, trzaskając naczyniami.

— Dzięki Bogu, nie — odparła. — I żadnego nie chcę. Nie wszyscy są tacy głupi jak Frida.

Milczała przez chwilę, dalej zmywając, tak że aż piana bryzgała. Ale zaraz coś jej najwyraźniej przyszło na myśl, bo odwróciła się z niepokojem do Braciszka.

— Słuchaj, ten jakiś okropny, gruby chłopak, z którym się kiedyś bawiłeś, mam nadzieję, nie będzie tu teraz przychodził.

Do panny Cap w ogóle nie docierało, że Karlsson z Dachu jest pięknym, bardzo mądrym i w miarę tęgim mężczyzną w sile wieku, miała go za jednego z rówieśników Braciszka ze szkoły i za zwykłego łobuziaka. Nie zastanawiała się bliżej nad tym, że ten łobuziak umie fruwać. Wydawało się jej, że taki motor, jak jego, można kupić w pierwszym lepszym sklepie z zabawkami, jeżeli ma się wystarczająco dużo pieniędzy, i tylko wydziwiała, że w dzisiejszych czasach dzieci są zdemoralizowane kosztownymi zabawkami. „Pewnie niedługo będą latać na Księżyc, nim zaczną szkołę" — mówiła. Teraz nazwała Karlssona „ten mały, okropny, gruby chłopak". Braciszek uznał, że to naprawdę nieładnie.

— Karlsson nie jest okropny... — zaczął, ale w tym momencie ktoś zadzwonił do drzwi.

– Ojej, to pewnie wuj Julius – powiedział Braciszek i pobiegł otworzyć.

Nie był to jednak wuj Julius, lecz Karlsson. Kompletnie przemoczony stał w kałuży deszczówki i patrzył na Braciszka z wyrzutem.

– Jak długo mam latać w kółko w deszczu, tylko dlatego że nie chciało ci się zostawić otwartego okna – odezwał się ponuro.

– Powiedziałeś przecież, że idziesz się położyć – bronił się Braciszek, bo tak Karlsson rzeczywiście mówił. – Ja naprawdę nie myślałem, że przyjdziesz dziś wieczorem.

– Mogłeś mieć nadzieję – odparł Karlsson. – Mogłeś pomyśleć, że może on jednak przyjdzie, ten kochany, mały Karlsson, ach, jak to byłoby przyjemnie, może przyjdzie, bo pewnie chce poznać pannę Cap.

– A chcesz? – zapytał Braciszek z niepokojem.

– Hoj, hoj! – odparł Karlsson i oczy mu się zaświeciły.

– Hoj, hoj! Jak sądzisz?

Braciszek zdawał sobie sprawę, że nie da się bez końca trzymać Karlssona i panny Cap z dala od siebie, nie był jednak przygotowany na to, że spotkają się od razu pierwszego wieczoru. Czuł, że musi wpierw porozmawiać z Karlssonem, ten jednak szedł już do kuchni, podniecony jak pies myśliwski. Braciszek rzucił się za nim i złapał go za rękę.

– Słuchaj, Karlsson – zaczął przekonywającym tonem. – Ona myśli, że jesteś którymś z moich kolegów z klasy, i ja uważam, że niech sobie dalej tak myśli.

Karlsson stanął w miejscu. I znowu zarechotał, tak jak to zawsze robił, kiedy coś go szalenie cieszyło.

– Ona naprawdę myśli, że ja też chodzę do szkoły! – zawołał rozradowany, po czym ruszył pędem do kuchni. Panna Cap usłyszała zbliżający się galop. Spodziewała się wuja Juliusa i zdziwiło ją, że starszy człowiek może biec w takim tempie. Patrzyła na drzwi w oczekiwaniu na szybkobiegacza, lecz gdy drzwi się otworzyły i Karlsson wpadł do kuchni, dech jej zaparło, jakby zobaczyła węża. Węża, którego w żadnym wypadku nie chciała mieć w pobliżu.

Ale tego Karlsson nie rozumiał. Dopadł do niej paroma susami i spojrzał podniecony w jej pełną dezaprobaty twarz.

– Jak myślisz, kto jest najlepszy w klasie? – spytał.

– Zgadnij, kto jest najlepszy w rachunkach i w czytaniu, i w pisaniu, i w ogóle... we wszystkim?

– Mówi się dzień dobry, jak się gdzieś wchodzi – zauważyła panna Cap. – A mnie nie interesuje, kto jest najlepszy w klasie. Na pewno nie ty.

– Owszem, właśnie że ja – zaczął Karlsson, ale zaraz urwał i jakby się nad czymś zastanowił. – Jestem w każdym razie najlepszy w rachunkach – stwierdził ponuro po chwili namysłu. A potem wzruszył ramionami. – No tak, zwykła rzecz – dodał, po czym zaczął wesoło skakać po kuchni. Kręcił się dookoła panny Cap i nagle zaintonował wesołą i dobrze znaną piosenkę:

Huk niech będzie i wesoło...

– Nie, Karlsson – wmieszał się pośpiesznie Braciszek. – Nie, nie!

Ale to nie pomogło.

Łupu-cupu, cupu-łupu, bum...

— śpiewał Karlsson. A kiedy doszedł do „bum", dał się słyszeć najpierw huk — to wystrzelił pistolet, a potem krzyk — to krzyknęła panna Cap. Braciszek myślał w pierwszej chwili, że panna Cap zemdleje, bo osunęła się na krzesło i siedziała bez słowa, z zamkniętymi oczami, gdy jednak Karlsson śpiewał dalej swoje „łupu-cupu, cupu-łupu, bum", otworzyła oczy i powiedziała gniewnie:

— Złupać, to ja ciebie tak złupię, że popamiętasz, wstrętny dzieciaku, spróbuj no tylko zrobić to jeszcze raz!

Karlsson nie odpowiedział. Sięgnął natomiast grubym palcem pod brodę panny Cap i pokazał na jej piękną broszkę, którą miała przy kołnierzyku.

— Bardzo ładna — powiedział. — Gdzie ją zwędziłaś?

— Ależ, Karlsson! — przeraził się Braciszek, widząc, jak pannę Cap ogarnia wściekłość.

— To... to... to szczyt bezczelności — wyjąkała z trudem, ale zaraz potem wrzasnęła: — Wynoś się! Wynocha, mówię ci!

Karlsson spojrzał na nią ze zdziwieniem.

— No, no, wolnego — powiedział. — Ja tylko pytam. A jak ktoś uprzejmie pyta, to według mnie powinien otrzymać uprzejmą odpowiedź.

— Wynocha! — wrzasnęła znowu panna Cap.

— Zresztą — ciągnął dalej Karlsson — jest jeszcze jedna rzecz, którą chciałbym wiedzieć. Czy ty też masz rano trochę sztywne ciało, a jeżeli tak, to o której chcesz, żebym cię zaczął wykiwywać?

Panna Cap rozejrzała się z furią za czymś do bicia, żeby go przepędzić, więc Karlsson usłużnie pobiegł do szafki, wyciągnął trzepaczkę i wsadził ją pannie Cap do ręki.

— Hoj, hoj! — wykrzyknął i ruszył szybkim marszem dookoła kuchni. — Hoj, hoj, znów się zaczyna!

Wtedy panna Cap odrzuciła trzepaczkę. Widocznie przypomniała sobie, co się działo, kiedy poprzednim razem wyganiała Karlssona trzepaczką, i nie chciała, żeby ta sytuacja się powtórzyła.

Braciszek uznał, że to wszystko przybiera zły obrót i zastanawiał się, jak długo nerwy panny Cap wytrzymają widok Karlssona biegającego w kółko i wołającego „hoj, hoj!”. „Niezbyt długo” — pomyślał. Należało jak najszybciej wyprowadzić go z kuchni. Gdy więc Karlsson za jedenastym okrążeniem przemknął przed nim, Braciszek złapał go za kołnierz.

— Karlsson — powiedział, starając się, by jego głos brzmiał przekonująco — chodźmy raczej do mojego pokoju.

Karlsson posłuchał go, choć bardzo niechętnie.

— Przerywasz mi bez sensu, kiedy właśnie zaczynałem ją wykiwywać! — mruknął. — Gdybyś mi dał jeszcze trochę czasu, na pewno byłaby wesoła i figlarna jak lew morski.

Podszedł do doniczki i jak zwykle wydłubał z ziemi pestkę brzoskwini, żeby zobaczyć, ile wyrosła. Braciszek też podszedł, gdyż chciał popatrzeć, i kiedy stał blisko Karlssona, obejmując go ramieniem, poczuł, jaki jest, biedaczysko, przemoknięty.

— Nie zimno ci? — zapytał.

Karlsson chyba wcale o tym przedtem nie myślał, ale teraz zwrócił uwagę na swoje samopoczucie.

— Jasne, że tak — powiedział. — Czy to jednak kogokolwiek obchodzi? Czy komukolwiek jest przykro, jak najlepszy przyjaciel zjawia się przemoknięty do nitki i trzęsie się z zimna? Czy jest ktoś, kto zadba, żeby zdjął z siebie ubranie, i powiesi mu je, żeby wyschło, i włoży na niego miękki, przytulny płaszcz kąpielowy, i zrobi mu trochę gorącej czekolady, i da mu masę bułeczek, i położy go do łóżka, i zaśpiewa mu śliczną, smętną piosenkę, żeby pomalutku zasnął? Czy jest ktoś taki?

Patrzył z wyrzutem na Braciszka.

— Nie, nie ma — stwierdził i głos mu zadrżał, jakby się miał rozpłakać.

Wtedy Braciszek pomyślał, że musi jak najszybciej wykonać wszystko to, co Karlsson uważał, że się należy najlepszemu przyjacielowi. Najtrudniej było namówić pannę Cap, żeby przygotowała gorącą czekoladę i bułeczki. Nie miała czasu ani sił, żeby się z czymkolwiek dodatkowo borykać, bo piekła właśnie kurczaka dla wuja Juliusa, który mógł w każdej chwili przyjechać.

– Sam się tym zajmij po swojemu! – powiedziała.

Tak też Braciszek zrobił.

Karlsson siedział później, pulchniutki i zaróżowiony, w łóżku Braciszka, w jego białym płaszczu kąpielowym, pił czekoladę i jadł bułeczki, a w łazience suszyły się jego spodnie, koszula i bielizna, buty i skarpetki.

– Nie musisz mi śpiewać tęsknej piosenki – odezwał się. – Ale możesz zacząć mnie namawiać, żebym został u ciebie na noc.

– A chcesz? – spytał Braciszek.

Karlsson właśnie wepchał całą bułeczkę do ust, więc nie mógł odpowiedzieć, ale dla potwierdzenia bardzo energicznie kiwnął głową. Wtedy Bimbo zaszczekał. Nie podobało mu się, że Karlsson leży w łóżku Braciszka.

Braciszek wziął go na ręce i szepnął mu do ucha:

– Ja mogę spać na kanapie, rozumiesz. A twój koszyk przysuniemy do kanapy!

Panna Cap stuknęła czymś w kuchni, a Karlsson, słysząc to, powiedział z oburzeniem:

– Nie uwierzyła, że jestem najlepszy w klasie!

– Nic w tym takiego dziwnego – odparł Braciszek. Wiedział bowiem, że Karlsson jest bardzo słaby zarówno w czytaniu, jak w pisaniu i rachunkach, a już najgorszy chyba w rachunkach, choć powiedział pannie Cap coś zupełnie odwrotnego.

– Powinieneś ćwiczyć – rzekł Braciszek. – Chcesz, żebym cię nauczył trochę dodawania?

Na to Karlsson parsknął tak energicznie, że czekolada chlapnęła na wszystkie strony.

— A może ty chcesz, żebym cię cokolwiek nauczył manier? Uważasz, że nie potrafię dado... no, jak to powiedziałeś?

Nie było jednak czasu na jakiekolwiek wprawki w dodawaniu, bo właśnie ostro zadzwonił dzwonek przy drzwiach wejściowych. Braciszek domyślił się, że tym razem to już na pewno wuj Julius, więc pobiegł otworzyć. Najchętniej sam przywitałby wuja i liczył na to, że Karlsson zostanie w łóżku. Ale Karlsson uważał inaczej. Zaciekawiony, zjawił się przy drzwiach w płaszczu kąpielowym, pętającym mu się pod nogami.

Braciszek otworzył drzwi na oścież, no i rzeczywiście — stał w nich wuj Julius z walizkami w obu rękach.

— Witaj, wuju Ju... — zaczął Braciszek, ale nie dokończył, bo w tym samym momencie rozległ się huk, a w sekundę później wuj padł zemdlony na podłogę.

— Ależ, Karlsson — powiedział zrozpaczony Braciszek. Ach, jak żałował, że dał mu ten pistolet! — Co teraz będzie? Dlaczego to zrobiłeś?

— Musi być salut — bronił się Karlsson. — Tak jest, musi być salut, jak przyjeżdżają w odwiedziny bardziej znaczące osoby albo wysokiej rangi urzędnicy.

Braciszek był tak nieszczęśliwy, że zbierało mu się na płacz, Bimbo szczekał jak szalony, a panna Cap, która usłyszała huk, przyleciała zdyszana i zaczęła machać rękami i lamentować nad biednym wujem, który leżał na wycieraczce niczym przewrócona sosna w lesie. Jeden tylko Karlsson brał wszystko spokojnie.

— Spokój, grunt to spokój — powiedział.

Złapał konewkę, której mama Braciszka używała do podlewania roślin, i solidnie spryskał wuja Juliusa wodą. I to rzeczywiście pomogło, bo wuj pomału otworzył oczy.

— Wciąż pada i pada — wymamrotał. Lecz gdy zobaczył ich zaniepokojone twarze wokół siebie, ocknął się na dobre.

— Co... co... o co chodzi?! — ryknął gniewnie.

— Chodzi o salut — wyjaśnił Karlsson. — Choć niektórym szkoda go oddawać, skoro od razu mdleją.

Teraz wujem Juliusem zajęła się panna Cap. Wytarła go i zaprowadziła do sypialni, w której miał mieszkać, i słychać było, jak mu tłumaczy, że ten mały, paskudny i gruby chłopak jest jednym ze szkolnych kolegów Braciszka, i że należy go wyrzucać za drzwi, gdy tylko się pokaże.

— No i słyszysz — powiedział Braciszek do Karlssona.

— Obiecaj, że nigdy więcej nie oddasz salutu!

— Coś takiego! — oburzył się Karlsson. — Przychodzisz i starasz się stworzyć dla gości miły i trochę świąteczny nastrój, a nie ma nikogo, kto podbiegłby do ciebie i pocałował cię w oba policzki, i zawołał, że jesteś najsławniejszym na świecie żartownisiem. Nie, nie ma nikogo takiego! Nudziarze, ot, czym jesteście, cała banda.

Braciszek nie słuchał go. Przysłuchiwał się natomiast narzekaniom wuja Juliusa w sypialni. Materac jest za twardy, mówił wuj Julius, łóżko za krótkie, a koce za cienkie. No tak, teraz łatwo było zauważyć, że wuj Julius przyjechał.

— On z niczego nie jest zadowolony — powiedział Braciszek do Karlssona. — Zdaje mi się, że jest zadowolony wyłącznie z siebie samego.

— Mogę mu to w krótkim czasie wybić z głowy, jeżeli mnie ślicznie poprosisz — powiedział Karlsson.

Ale Braciszek ślicznie poprosił Karlssona, żeby na miłość boską dał temu spokój.

Karlsson nocuje u Braciszka

Chwilę później wuj Julius siedział przy stole i jadł kurczaka, a panna Cap, Braciszek, Karlsson i Bimbo stali obok i przypatrywali się. „Zupełnie jak król" – pomyślał Braciszek. Bo pani w szkole opowiadała, jak to w dawnych czasach królowie zawsze jedli w otoczeniu przypatrujących się dworzan.

Wuj Julius był gruby, bardzo zarozumiały i zadowolony z siebie, ale Braciszek pomyślał, że ci dawni królowie też pewnie tacy bywali.

– Wyprowadź tego psa – odezwał się wuj Julius. – Wiesz, że nie lubię psów.

– Ale Bimbo nic złego nie robi – sprzeciwił się Braciszek. – Siedzi przecież cicho i grzecznie.

Wówczas wuj Julius przybrał ten swój kpiący wyraz twarzy, który zwiastował, że zamierza powiedzieć coś nieprzyjemnego.

– No tak, do tego doszło w dzisiejszych czasach – rzekł.

– Mali chłopcy sprzeciwiają się, kiedy się ich upomina, tak się właśnie dzieje... nie mogę powiedzieć, żeby mi się to podobało.

Karlsson jak dotąd patrzył tylko na kurczaka, teraz jednak spojrzał z namysłem na wuja. Patrzył na niego długą chwilę.

– Wuju Juliusie – odezwał się w końcu – czy ktokolwiek powiedział ci, że jesteś pięknym, niesłychanie mądrym i w miarę tęgim mężczyzną w sile wieku?

Wuj Julius nie spodziewał się tak eleganckiego komplementu. Ogromnie się zachwycił, co było widoczne, choć wcale nie chciał dać tego po sobie poznać. Zaśmiał się więc tylko krótko i skromnie, po czym rzekł:

– Nie, nikt mi tego nie powiedział.

– Aha. Jakim więc cudem – zauważył Karlsson – wpadło ci do głowy takie absurdalne wyobrażenie o sobie samym?

– Ależ, Karlsson... – odezwał się Braciszek z wyrzutem, bo tym razem uznał, że Karlsson przesadził.

Wtedy Karlsson rozgniewał się.

– Ależ, Karlsson, ależ Karlsson, i tak w kółko – zaprotestował. – Dlaczego gderasz cały czas, przecież niczego złego nie zrobiłem.

Wuj Julius spojrzał surowym wzrokiem, ale potem najwidoczniej postanowił nie zwracać na Karlssona żadnej uwagi. Zabrał się do kurczaka, a panna Cap częstowała i namawiała, żeby sobie dokładał.

– Mam nadzieję, że smakuje – powiedziała.

Wuj z całej siły wbił zęby w udko kurczaka, a potem odezwał się w swój kpiący sposób:

– Owszem. Chociaż ten kurczak ma z pewnością cztery albo pięć lat, czuję to po zębach.

Panna Cap westchnęła i od razu na jej czole pojawiło się kilka gniewnych zmarszczek.

– Kurczak nie ma przecież zębów – powiedziała zgryźliwym tonem.

Wtedy wuj Julius powiedział z większą jeszcze kpiną w głosie:

– Nie. Ale ja mam.

– Tylko nie w nocy, z tego, co słyszałem – wtrącił Karlsson, a Braciszek zrobił się purpurowy, bo przecież od niego Karlsson się dowiedział, że wuj, kiedy śpi, trzyma zęby w szklance z wodą, przy łóżku.

Na szczęście w tym momencie panna Cap zaczęła strasznie lamentować, że zdaniem wuja Juliusa kurczak jest twardy. Jeżeli cokolwiek mogło ją załamać, to uwagi o jej kuchni, teraz więc gorzko płakała.

Wuj chyba się nie spodziewał, że jego uwaga tak ją zaboli. Prędko podziękował za jedzenie i prawie zawstydzony usiadł w fotelu na biegunach, gdzie mógł schować się za gazetą.

Karlsson wpatrywał się w niego wściekłym wzrokiem.

– Fuj! Jak niektórzy potrafią być złośliwi – powiedział, po czym podbiegł do panny Cap i zaczął ją poklepywać, gdzie popadło.

– Cicho już, cicho, słodziutka – mówił na pocieszenie.

– Twarde kurczaki to normalka, a zresztą nic na to nie poradzisz, że nie umiesz gotować.

Wtedy panna Cap wydała z siebie wściekły skowyt, a Karlsson oberwał takiego kuksańca, że przeleciał tyłem przez cały pokój i wylądował na kolanach wuja Juliusa.

– Hoj, hoj! – wrzasnął Karlsson i zanim wuj zdążył go z siebie strzepnąć, usadowił się na jego kolanach. Wciągnął stopy pod płaszcz kąpielowy, zrobił się malutki i mięciutki, a potem powiedział, gruchając z zadowoleniem:

– Zabawmy się, że ty jesteś moim dziadkiem i opowiadasz mi bajkę. Ale bajka nie może być zbyt straszna, bo bardzo będę się bał.

Wuj Julius wcale nie chciał być dziadkiem Karlssona, a poza tym znalazł coś ciekawego w gazecie. Bezceremo-

nialnie strącił Karlssona na podłogę, po czym zwrócił się do panny Cap:

— Co ja tu widzę w gazecie? — rzekł. — Macie szpiegów latających nad Vasastan?

Słysząc te słowa, Braciszek zesztywniał. No tak, ładna historia! Dlaczego wuj Julius wziął do rąk akurat tę nieszczęsną gazetę sprzed przeszło tygodnia, którą dawno temu należało wyrzucić!

Szczęściem jednak wuj zawsze wykpiwał wszystko, co napisano w gazetach.

— Wydaje im się, że mogą wmówić ludziom każdą brednię — powiedział. — I piszą byle co, tylko po to, żeby ludzie kupowali prasę. Szpieg... co za nonsens! Chyba nie zauważyła pani, panno Cap, żadnego szpiega czy jakiejś latającej beczki w tych waszych zaułkach?

Braciszek wstrzymał oddech. „Jeżeli ona powie teraz, że ten mały, wstrętny, gruby chłopak potrafi czasem fru-

wać, to będzie koniec ze wszystkim — myślał Braciszek.
— Bo wtedy wuj Julius zacznie chyba coś podejrzewać".

Ale panna Cap jakoś nie zauważała niczego dziwnego, jeśli chodzi o Karlssona i jego fruwanie, zresztą wciąż jeszcze tak chlipała, że trudno jej było mówić.

— Szpieg... nie, nic nie wiem na ten temat — odpowiedziała. — Według mnie to zwykła bzdura, jak zwykle w gazetach.

Braciszek odetchnął z wyraźną ulgą. Gdyby tylko potrafił nakłonić Karlssona, żeby nigdy, przenigdy nie latał tam, gdzie wuj mógłby go zauważyć, może wszystko by się jakoś ułożyło. Rozejrzał się za Karlssonem, ale nigdzie go nie było. Braciszek zaniepokoił się i postanowił natychmiast zacząć poszukiwania, lecz wuj Julius zatrzymał go przy sobie. Chciał się koniecznie dowiedzieć, jak Braciszkowi idzie w szkole, i wypróbować, czy jest mocny w rachunkach, a przecież były teraz wakacje i w ogóle. Ale w końcu Braciszek wymknął się i pobiegł do swojego pokoju, żeby zobaczyć, czy jest tam Karlsson.

— Karlsson! — zawołał już od drzwi. — Gdzie jesteś?

— W twoich spodniach od piżamy — odpowiedział Karlsson. - Jeśli tak można nazwać te przeklęte kiszki.

Siedział na brzegu łóżka i usiłował wcisnąć się w nogawki, lecz mimo że szarpał się, jak mógł, nic z tego nie wychodziło.

— Dam ci piżamę Bossego — powiedział Braciszek i pobiegł do pokoju Bossego, żeby wybrać najodpowiedniejszą dla takiego w miarę tęgiego mężczyzny jak Karlsson. Nogawki i rękawy były naturalnie znacznie za długie, ale Karlsson szybko się z tym uporał, obcinając je. Braciszek zauważył, co się stało, jak było już za późno, a potem przestał się przejmować tą sprawą, piżamy to zwykła rzecz i nie powinny psuć cudownej przyjemności, a mianowicie tego, że Karlsson będzie u niego nocować.

Braciszek przygotował sobie posłanie na kanapie, korzystając z pościeli Bossego, i ustawił koszyk Bimba tuż obok.

Bimbo już w nim leżał i starał się zasnąć, ale co jakiś czas otwierał jedno oko i zerkał podejrzliwie na Karlssona. Karlsson rył łóżko Braciszka i mościł się w nim, żeby mieć jak najwygodniej.

– Chcę sobie tutaj zrobić takie jakby ciepłe gniazdko – powiedział.

W piżamie Bossego w niebieskie paski wyglądał, zdaniem Braciszka, naprawdę milutko, i gdyby go Braciszek szczelnie otulił teraz kołdrą, leżałby rzeczywiście jak w jakimś ciepłym gniazdku.

Ale Karlsson nie chciał być otulony.

– Jeszcze nie – powiedział. – Tyle zabawnych rzeczy można robić, jak się u kogoś nocuje. Je się w łóżku kanapki z salami, potem ściele się komuś worek*, a potem stacza się bitwę na poduszki. Zaczniemy od kanapek.

– Przecież dopiero co zjadłeś masę bułeczek – zauważył Braciszek.

– Jeżeli nie zrobimy tego wszystkiego, co jest do zrobienia, to ja się nie bawię – odparł Karlsson. – Przynieś kanapki!

Braciszek pobiegł do kuchni i zaczął szykować kanapki. Nikt mu nie przeszkadzał. Panna Cap rozmawiała w salonie z wujem Juliusem. Widocznie przebaczyła mu jego uwagi o kurczaku.

---

* „Posłać komuś worek" – popularna w Szwecji zabawa polegająca na zaszyciu pościeli tak, aby nie można było położyć się do łóżka.

Potem Braciszek siedział na brzegu łóżka i patrzył, jak Karlsson je kanapki. Był bardzo szczęśliwy, bo to naprawdę wielka radość mieć u siebie najlepszego przyjaciela. Karlsson wyjątkowo też był zadowolony.

— Kanapki są dobre i ty jesteś dobry, i ta Cap jest dobra — oświadczył. — Choć co prawda myślała, że ja nie jestem najlepszy w klasie — dodał i od razu spochmurniał. Widać było, że ta sprawa nadal go gryzie.

— Ech, nie przejmuj się! — odezwał się Braciszek. — Wuj Julius chciałby, żebym ja był najlepszy w klasie, a wcale nie jestem.

— No i całe szczęście — powiedział Karlsson. — Ale ja powinienem cię nauczyć trochę tego dado... czy jak tam mówiłeś.

— Dodawania — poprawił go Braciszek. — Ty miałbyś uczyć mnie?

— Tak, bo jestem najlepszym na świecie dodawaczem.

Braciszek roześmiał się.

— No to spróbujmy, chcesz?

Karlsson przytaknął.

— Zaczynaj!

I Braciszek zaczął.

— Jeżeli, na przykład, mama da ci trzy jabłka...

— Bardzo dziękuję, przynieś je — rzekł Karlsson.

— Nie przerywaj mi — powiedział Braciszek. — Jeżeli dostaniesz trzy jabłka od mamy i dwa od taty, i dwa od Bossego, i trzy od Bettan, i jedno ode mnie...

Dalej już nie wyliczał, bo Karlsson oskarżycielsko podniósł w górę palec wskazujący.

— Wiedziałem — rzekł. — Wiedziałem, że jesteś najbardziej skąpy w tej rodzinie.

– E tam, przecież o co innego teraz chodzi – żachnął się Braciszek, ale Karlsson ciągnął dalej z uporem:

– Byłoby ładnie z twojej strony, gdybyś mi dał torbę ze sporą ilością jabłek i kilkoma gruszkami, i z garścią tych małych, żółtych, pysznych śliwek, wiesz których!

– Przestań, Karlsson – zniecierpliwił się Braciszek.

– Przecież my tylko dodajemy... dostajesz jedno jabłko od mamy...

– Stop! – wrzasnął wściekły Karlsson. – Nie zgadzam się! A co ona zrobiła z tymi dwoma, które dopiero co od niej dostałem?

Braciszek westchnął.

– Kochany, jabłka nie mają tu żadnego znaczenia. Posługuję się nimi dlatego, żebyś zrozumiał, o co chodzi.

Karlsson prychnął.

– Dobrze rozumiem, o co chodzi. O to mianowicie, że twoja mama opchnie moje jabłka, gdy tylko nie będzie się jej mieć na oku.

– Przestań, Karlsson – powtórzył Braciszek. – Jeżeli dostaniesz trzy jabłka od mamy...

Karlsson kiwnął głową z zadowoleniem.

– A widzisz! Pomaga, jak się sprzeciwić! Dobrze o tym wiem. Ale spróbujmy zachować w tym wszystkim jakiś porządek. Dostanę trzy jabłka od twojej mamy i dwa od twojego taty, i dwa od Bossego, i trzy od Bettan, i jedno od ciebie, bo ty jesteś najbardziej skąpy...

– No więc dobrze, ile masz wobec tego jabłek? – spytał Braciszek.

– A jak myślisz? – odparł Karlsson.

– Nic nie myślę, bo wiem – zapewnił go Braciszek.

– No to powiedz – rozkazał Karlsson.

– Nie, przecież ty masz powiedzieć, zrozum!

– E tam, ubrdałeś sobie. Ty powiedz, a założę się, że powiesz źle.

– A właśnie, że powiem dobrze. Masz jedenaście jabłek.

– Tak myślisz? Otóż trafiłeś jak kulą w płot. Bo przedwczoraj wieczorem podwędziłem dwadzieścia sześć jabłek w sadzie na Lidingö* i zostało mi ich trzy, no i jedno, które tylko troszkę nadgryzłem. I co ty na to?

Braciszek najpierw zamilkł, nie wiedząc, co ma powiedzieć. Ale po chwili już wiedział.

– Cha, cha, wszystko zmyśliłeś, bo w czerwcu jabłka nie rosną na drzewach.

– Tak twierdzisz? – odparł Karlsson. – To skąd wytrzasnęliście wasze jabłka, ty i ci inni złodzieje w tym domu?

Braciszkowi odechciało się już uczyć Karlssona rachowania.

– Wiesz już przynajmniej, na czym polega dodawanie – powiedział.

– Wiem, oczywiście, to to samo co kradzież jabłek – rzekł Karlsson. – A tego nie musisz mnie uczyć, bo już umiem. Jestem najlepszym na świecie dodawaczem jabłek, a gdy tylko będę mieć czas, zabiorę cię na Lidingö i pokażę ci, jak się kradnie.

To mówiąc, wepchnął do ust ostatni kawałek kanapki i rozpoczął bitwę na poduszki. Nie poszło mu jednak zbyt dobrze, bo gdy tylko walnął Braciszka poduszką w głowę, Bimbo zaczął szczekać jak opętany.

* Lidingö – podmiejska dzielnica Sztokholmu.

– Woff, woff! – ujadał, wbijając zęby w poduszkę, po czym on i Karlsson wyrywali ją sobie tak długo, że w końcu pękła. Wtedy Karlsson podrzucił ją pod sufit, a pierze wyleciało i zaczęło ślicznie spadać na Braciszka, który leżał na kanapie i zaśmiewał się.

– Zdaje mi się, że pada śnieg – powiedział Karlsson.

– Pada coraz bardziej i bardziej – powtórzył i jeszcze raz podrzucił poduszkę do góry. Tym razem jednak Braciszek powiedział, że trzeba skończyć z bitwą na poduszki, bo najwyższa pora iść spać. Było już późno i usłyszeli, jak w przedpokoju wuj Julius mówi dobranoc pannie Cap.

– Pójdę się położyć w tym moim krótkim łóżku – oznajmił wuj.

Karlsson nagle wydał się dziwnie wesoły.

– Hoj, hoj – powiedział. – Rozmyślam właśnie nad jedną przyjemną rzeczą.

– Co to za przyjemna rzecz? – chciał wiedzieć Braciszek.

— Taką, którą trzeba zrobić, jak się u kogoś nocuje — odparł Karlsson.

— Masz na myśli słanie worków? Za późno teraz. Chyba nie zamierzasz tego robić?

— Nie, bo już za późno — powtórzył Karlsson.

— No właśnie — ucieszył się Braciszek.

— I dlatego nie zamierzam tego robić — zapewnił go Karlsson.

— Świetnie — przytaknął Braciszek.

— Bo już to zrobiłem — powiedział Karlsson.

Braciszek, bardzo zdziwiony, usiadł na kanapie.

— Komu... chyba nie wujowi Juliusowi?

Karlsson zarechotał.

— Spryciarz z ciebie. Jak zgadłeś?

Braciszek tak się śmiał podczas bitwy na poduszki, że wciąż jeszcze chichotał, choć wiedział, że nie powinien.

— Och, ale wuj będzie zły — powiedział.

— Na pewno. I to właśnie muszę sprawdzić — odparł Karlsson. — Dlatego chcę się trochę przelecieć i zajrzeć przez okno sypialni.

Braciszek przestał chichotać.

— W żadnym razie! Wyobraź sobie, co by było, gdyby cię wuj zobaczył! Pomyślałby, że jesteś szpiegiem, i wiadomo, co by się wtedy działo.

Ale Karlsson był uparty. Jeżeli się komuś ściele worek, trzeba zbadać, jak bardzo go to rozzłości, bo inaczej wszystko nie miałoby sensu, stwierdził.

— Mogę zresztą schować się pod parasolem!

Ponieważ nadal silnie padało, przyniósł sobie z przedpokoju czerwony parasol mamy.

– Nie chcę poza tym, żeby piżama Bossego zmokła
– powiedział.

Stał w otwartym oknie, z rozpiętym parasolem, gotowy do lotu.

„To straszne" – pomyślał Braciszek i zaczął go błagać:

– Na miłość boską, uważaj na siebie! Uważaj, żeby cię nie zobaczył, bo to byłby koniec.

– Spokój, grunt to spokój – odparł Karlsson i wyfrunął w deszcz.

Braciszek stał przy oknie, bynajmniej nie spokojny, wręcz przeciwnie: z nerwów obgryzał palce.

Czas płynął, deszcz padał, a Braciszek czekał. Nagle z sypialni doszedł przeraźliwy wrzask wuja Juliusa, wzywającego pomocy. Zaraz potem Karlsson wleciał przez okno. Rechocząc z zadowolenia, wyłączył motor i postawił parasol na wycieraczce, żeby obciekła z niego woda.

– Widział cię? – spytał Braciszek ze strachem. – Wszedł już do łóżka?

– Stara się – odparł Karlsson.

I znowu rozległ się rozdzierający krzyk wuja.

– Muszę zobaczyć, co się z nim dzieje – powiedział Braciszek i rzucił się pędem do sypialni.

A tam wuj Julius, blady, z wytrzeszczonymi oczami, siedział zaplątany w pościel, a na ziemi obok niego leżały poduszki i koce rozrzucone w potwornym nieładzie.

– Z tobą nie chcę mówić – powiedział wuj, widząc Braciszka. – Zawołaj pannę Cap!

Panna Cap też musiała usłyszeć wrzaski, bo przybiegła z kuchni i stanęła na progu jak wryta.

– O rany! – zawołała. – Pan Jansson prześciela łóżko?

— Nie, wcale nie — odparł wuj Julius. — Chociaż nie odpowiada mi ten wasz nowy sposób słania łóżek, który zaprowadziliście w tym domu... Ale teraz nie mam siły o tym myśleć. Zamilkł i tylko pojękiwał cichutko, więc panna Cap podeszła i położyła mu dłoń na czole.

— Co się stało? Czy pan Jansson jest chory?

— Tak, jestem chory — odparł ponuro. — Muszę z pewnością być chory... A ty znikaj stąd — zwrócił się do Braciszka. Braciszek zniknął. Ale przystanął za drzwiami, bo chciał usłyszeć dalszy ciąg.

— Jestem mądrym i przytomnym człowiekiem — powiedział wuj Julius. — Ani gazety, ani w ogóle nikt nie jest w stanie wmówić we mnie jakiejś bzdury... dlatego muszę być chory.

— Co panu dolega? — zapytała panna Cap.

— Mam majaki... z gorączki — odpowiedział wuj. A potem zniżył głos, tak że Braciszek ledwo słyszał. — Nie chcę, żeby pani komukolwiek to powtórzyła — szepnął — ale ja, prawdę mówiąc, widziałem Johna Blunda*.

* John Blund — fikcyjna postać telewizyjna w dziecięcych dobranockach.

Karlsson uprawia tirrytowanie bułeczkami i plackami

Kiedy Braciszek obudził się następnego ranka, Karlssona nie było. Piżama Bossego leżała skotłowana na podłodze, okno było otwarte, więc Braciszek zrozumiał, że Karlsson poleciał do siebie do domu. Zrobiło się pusto, ale poniekąd wolał, że tak się stało. Panna Cap nie będzie teraz miała o co się awanturować. Nie musi nawet wiedzieć, że Karlsson u niego nocował. Dziwna rzecz, lecz gdy tylko Karlsson znikał, wszystko cichło, stawało się nudne i jakby szare. I choć utrzymanie go w ryzach wymagało nie lada sztuki, Braciszek zawsze za nim tęsknił, kiedy się rozstawali.

Teraz uznał, że musi mu przesłać krótkie pozdrowienie. Podszedł więc do zasłony i pociągnął trzy razy za linkę od dzwonka, chytrze schowaną. To urządzenie do dzwonienia, zainstalowane przez Karlssona, służyło do nadawania sygnałów. Gdy Braciszek ciągnął za linkę, u Karlssona na górze odzywał się dzwonek. Karlsson sam ustalił, co różne sygnały oznaczają.

— Jeżeli zadzwonisz raz, to będzie znaczyło: „Przyjdź do mnie" — powiedział. — Dwa razy: „W żadnym razie nie przychodź do mnie", a trzy dzwonki to będzie stwierdzenie: „Nie ma na świecie nikogo równie pięknego i nadzwyczaj mądrego, w miarę tęgiego i odważnego, i w ogóle udanego pod każdym względem jak ty, Karlssonie".

A Braciszek właśnie to chciał teraz powiedzieć Karlssonowi i dlatego pociągnął za linkę trzy razy. Na górze zadźwięczał dzwonek. No i otrzymał odpowiedź! Wysoko na dachu huknął strzał i Braciszek usłyszał — co prawda bardzo niewyraźnie i z bardzo daleka — jak Karlsson śpiewa swoje „Łupu-cupu, cupu łupu, bum!"

— Nie, Karlsson, nie! — szepnął. Ten osioł poleciał do siebie i teraz strzela i wyśpiewuje! Jak łatwo Fille i Rulle, albo ktoś inny, mogą go usłyszeć, zobaczyć, złapać i sprzedać do gazety za dziesięć tysięcy koron! — Jeśli tak się stanie, sam sobie będzie winien — zwrócił się do Bimba, który leżał w swoim koszyku i wydawał się wszystko rozumieć.

Braciszek włożył koszulę i spodnie, a potem bawił się chwilę z Bimbem, czekając, aż w domu zrobi się ruch.

Wuj Julius widocznie jeszcze się nie obudził, bo w sypialni panowała cisza, z kuchni natomiast dolatywał zapach świeżo zaparzonej kawy, więc Braciszek poszedł zobaczyć, co porabia panna Cap.

Siedziała przy stole w całej swojej okazałości i raczyła się pierwszą poranną kawą. Dziwnym trafem nie miała nic przeciwko temu, żeby Braciszek też usiadł przy niej. Nie było śladu żadnej kaszki. Panna Cap musiała wcześnie wstać tego dnia, bo czekało już świeżo upieczone pieczywo. Na kuchennej ladzie leżały dwie blachy z ciepłymi, pachnącymi bułeczkami, a całe ich mnóstwo było w koszyku na chleb. Braciszek wziął sobie bułeczkę i szklankę mleka, a potem siedzieli oboje przy stole, jedząc i pijąc w milczeniu.

Wreszcie panna Cap odezwała się:

— Ciekawa jestem, co porabia Frida!

Braciszek podniósł wzrok znad szklanki mleka. I pomyśleć, że, być może, ona równie dotkliwie odczuwa brak Fridy, jak on sam brak Karlssona, kiedy nie są razem!

– Czy pani tęskni za Fridą? – zapytał uprzejmie.

W odpowiedzi panna Cap zaśmiała się złowrogo.

– Nie znasz jej!

Prawdę mówiąc, Braciszka nie interesowała Frida, ale panna Cap miała ochotę o niej porozmawiać, dlatego pytał dalej:

– Z kim Frida jest zaręczona?

– Z łobuzem – odpowiedziała twardo. – Tak, on na pewno jest łobuzem, bo, o ile wiem, wyciąga od niej pieniądze.

Zgrzytała zębami na samą myśl o tym, teraz zaś zaczęła wylewać swoje żale. „Biedaczka – myślał Braciszek – nie ma zbyt wielu osób, z którymi mogłaby porozmawiać, skoro nawet taki chłopczyk jak ja wystarcza jej, kiedy chce mówić o Fridzie". A mówić chciała. Dlatego Braciszek musiał siedzieć i wysłuchiwać wszystkiego o Fridzie i o jej Filipie, a także o tym, jak się Fridzie w głowie przewróciło, od kiedy Filip wmówił w nią, że ma przepiękne oczy i zachwycający, powabny nosek, i że w ogóle można na nią zawsze liczyć, tak jej powiedział.

– Powabny nosek – prychnęła panna Cap. – No tak, oczywiście, jeżeli się za takowy uważa ziemniak średniej wielkości na środku twarzy...

– A jak wygląda Filip? – zapytał Braciszek, żeby okazać zainteresowanie.

– Nie mam pojęcia, dzięki Bogu – odparła. – Nie myśl, że Frida mi go pokazuje.

Panna Cap nie wiedziała także, gdzie Filip pracuje. Ale Frida opowiadała, że on ma kolegę z pracy, któremu na imię Rudolf.

– I ten kolega, zdaniem Fridy, mógłby się nadawać dla mnie, ale na pewno by mnie nie chciał, bo jak twierdzi Frida, nie jestem atrakcyjna... Nie mam powabnego nosa ani niczego takiego — powiedziała i znowu prychnęła. Potem nagle wstała od stołu i zniknęła w przedpokoju, żeby coś stamtąd przynieść. W chwili, gdy wychodziła, Karlsson wleciał przez okno. Braciszek bardzo się rozgniewał.

— Ależ Karlsson, przecież prosiłem cię, żebyś nie latał wtedy, kiedy panna Cap i wuj Julius mogą cię zobaczyć...

— I dlatego wcale wtedy nie latam — odparł Karlsson.

— W rzeczy samej nie pokazuję się w ogóle — dodał, po czym wpełzł pod stół i dobrze się tam schował pod opadającą serwetą. Panna Cap wróciła, niosąc sweter. Dolała sobie kawy, wzięła jeszcze jedną bułeczkę i ciągnęła dalej:

— Jak już mówiłam... ja... ja nie mogę się szczycić powabnym, kartoflanym nosem.

W tym momencie usłyszeli jakiś bardzo dziwny głos, jakby brzuchomówcy, wydobywający się nie wiadomo skąd. Ten głos powiedział:

— Przecież ty masz raczej coś przypominającego ogórek z brodawkami.

Panna Cap tak podskoczyła, że o mały włos nie wylała kawy. Spojrzała podejrzliwie na Braciszka.

— Czyżbyś ty był taki bezczelny?

Braciszek poczerwieniał i w pierwszej chwili nie wiedział, co ma odpowiedzieć.

— Nie — wymamrotał. — Zdaje mi się, że w radiu jest audycja o jarzynach, pomidorach, ogórkach i różnych takich rzeczach.

Sprytnie to sobie wymyślił, bo rzeczywiście w kuchni Svantessonów słychać było radio od sąsiadów, panna Cap już to wcześniej zauważyła i nieraz utyskiwała z tego powodu.

Ponarzekała więc trochę, ale wnet zaprzątnęło ją co innego, bo wuj Julius wszedł do kuchni i też chciał napić się kawy. Zataczając się i stękając przy każdym kroku, obszedł stół kilka razy dookoła.

– Co za noc! – powiedział. – Święty Jeremiaszu, co za noc! Zdarzało mi się, że miałem sztywne ciało, ale to łóżko i to posłanie, ojej!

Usiadł ciężko przy stole i patrzył przed siebie wytrzeszczonymi oczami, jakby rozmyślając o czymś szczególnym. Braciszek stwierdził, że wuj jest niepodobny do siebie.

– Ale mimo wszystko jestem zadowolony i wdzięczny za tę noc – odezwał się wreszcie wuj. – Dzięki niej stałem się nowym człowiekiem.

– I całe szczęście, bo tego starego należało koniecznie wymienić.

To był znowu ten dziwny głos i panna Cap podskoczyła i popatrzyła podejrzliwie na Braciszka.

– Wciąż słychać radio od Lindbergów... Widocznie nadają audycję o starych samochodach – wybełkotał Braciszek.

Wuj Julius niczego nie zauważył. Był tak zatopiony w myślach, że niczego nie słyszał ani nie widział. Panna Cap podała mu kawę, a on wyciągnął z roztargnieniem rękę po bułeczkę. Tymczasem, gdy tylko ją wziął, inna ręka, mała i pulchna, ukazała się nad brzegiem stołu i porwała mu ją. Wuj i tego nie zauważył. Wciąż myślał i myślał, i dopiero gdy wetknął palce do gorącej kawy, chcąc zamoczyć w niej bułeczkę, ocknął się.

Dmuchał na dłoń i był trochę zły, a potem znów zatonął w myślach.

– Dzisiejszej nocy zrozumiałem, że między niebem a ziemią jest więcej, niż możemy pojąć – stwierdził poważnie. Równocześnie wyciągnął rękę i wziął następną bułeczkę. I znowu pokazała się pulchna rączka i zabrała mu ją. Ale wuj Julius i tym razem niczego nie zauważył. Wciąż tylko myślał i myślał, aż wreszcie, jak włożył kciuk do ust i porządnie się ugryzł, oprzytomniał i spostrzegł, że niczego w ręku nie ma. Wtedy znów ogarnęła go złość, ale nowy wuj Julius był wyraźnie milszy od starego, bo szybko się uspokoił. Nie próbował nawet sięgnąć po kolejną bułeczkę, pił tylko kawę, głęboko pogrążony w rozmyślaniach.

Tak czy inaczej bułeczki zostały zjedzone. Znikały z koszyka jedna po drugiej i nikt prócz Braciszka nie wiedział, gdzie się podziewają. Chichocząc cichutko, Braciszek bardzo ostrożnie postawił pod stołem szklankę mleka, żeby Karlssonowi nie było sucho w ustach od samych tylko bułeczek.

I to właśnie Karlsson nazywał „tirrytowaniem bułeczkami"!

Panna Cap już wówczas, gdy poprzednim razem pilnowała ich domu, miała okazję tego doświadczyć.

Karlsson powiedział wtedy, że „można kolosalnie tirrytować ludzi samym tylko zjadaniem ich bułeczek". Wiedział, że mówi się „irytowanie", ale twierdził, że „tirrytowanie" brzmi bardziej diabolicznie.

Teraz Karlsson uprawiał właśnie diaboliczne tirrytowanie bułeczkami, choć panna Cap nie spostrzegła tego, ani tym bardziej wuj Julius. Jakiekolwiek owo tirrytowanie było, wuj nic, tylko myślał i myślał. Nagle złapał pannę Cap za rękę i mocno ją ścisnął, jakby prosząc o pomoc.

– Muszę o tym pomówić z jakąś istotą ludzką – powiedział. – Wiem już teraz, panno Cap, że to nie były żadne gorączkowe zwidy. Ja nie bredziłem, ja widziałem Johna Blunda!

Panna Cap wytrzeszczyła oczy.

– Czyżby?

– Tak – odpowiedział wuj Julius. – I dlatego jestem teraz nowym człowiekiem, w nowym świecie. Świat baśni, rozumie pani, właśnie ten świat dzisiejszej nocy otworzył się przede mną na oścież. Bo jeżeli John Blund rzeczywiście istnieje, dlaczego nie miałyby też istnieć czarownice, trolle i duchy, elfy i krasnoludki, i inne podobne dziwa, o których mówią bajki?

– I może też latający szpiedzy – odezwała się panna Cap, chcąc się przymilić, ale to się wujowi nie spodobało.

– Bzdury – zawyrokował. – Takiego głupiego gadania jak w gazetach nie można brać serio.

Pochylił się do panny Cap i spojrzał jej głęboko w oczy.

– Niech pani pamięta jedno – powiedział. – Nasi przodkowie wierzyli w trolle, krasnoludki, czarownice i inne cuda. Dlaczego więc my mamy wmawiać w siebie, że one nie istnieją? Czy może rozumiemy się lepiej na różnych rzeczach niż nasi przodkowie? Nie. Tylko tępe głowy mogą twierdzić coś równie głupiego.

Panna Cap nie chciała się okazać tępą głową, więc powiedziała, że być może istnieje więcej czarownic, niż sobie ludzie wyobrażają, i równie wiele trolli i innych dziwów, trzeba tylko, rzecz jasna, obserwować je i porządnie przeliczać.

No ale wuj Julius musiał już kończyć swoje dociekania, bo miał zamówioną wizytę u lekarza i nadszedł czas, by się wybrać do niego. Braciszek grzecznie odprowadził wuja do sieni, panna Cap zrobiła to samo. Braciszek podał mu laskę, a ona pomogła mu włożyć płaszcz. „Biedny wuj wydaje się mocno wyczerpany, więc dobrze, że pokaże się lekarzowi" — myślał Braciszek i nieśmiało pogłaskał wuja po ręce. Panna Cap też się nim widocznie przejęła, bo zapytała z troską:

— No i jak się pan czuje, panie Jansson? Co panu właściwie jest?

— Skąd mogę wiedzieć przed wizytą u lekarza — rzucił opryskliwie wuj.

„No tak — pomyślał Braciszek — coś jednak zostało z dawnego wuja Juliusa, nawet jeżeli otworzył się przed nim świat baśni".

Kiedy wuj wyszedł, Braciszek i panna Cap powrócili do kuchni.

— Należy mi się jeszcze trochę kawy i bułeczek, no i odrobinę spokoju — powiedziała panna Cap, ale zaraz głośno krzyknęła. Bo na blachach nie było ani jednej bułeczki. Leżała natomiast duża, papierowa torba, na której ktoś napisał ohydnymi, koślawymi literami:

Panna Cap przeczytała i groźnie zmarszczyła brwi.

— Nikt mnie nie przekona, że John Blund, jeżeli w ogóle istnieje, kradnie bułeczki. On jest zbyt wytworny i grzeczny. Ale ja dobrze wiem, kto to zrobił!

— Kto? — spytał Braciszek.

— Ten mały, wstrętny chłopak, ma się rozumieć, Karlsson, czy jak go tam zwą. Zobacz, drzwi do kuchni są otwarte! Stał na zewnątrz i podsłuchiwał, a potem wślizgnął się tu, gdy byliśmy w przedpokoju.

Potrząsała gniewnie głową.

— Jon Plunt! Pięknie! Zrzucać winę na innych i nawet nie umieć porządnie pisać.

Braciszek nie chciał dłużej słuchać wygadywania na Karlssona, więc powiedział tylko:

— Myślę, że to jednak John Blund! Chodź, Bimbo!

Każdego ranka Braciszek szedł z Bimbem do Vasaparken* i Bimbo uważał te chwile za najprzyjemniejsze w ciągu dnia, ponieważ było tam bardzo dużo sympatycznych psów, które mógł obwąchiwać i z którymi mógł porozmawiać.

Braciszek przeważnie bawił się z Kristerem i Gunillą, dziś jednak nie było ich.

„Może pojechali już na wieś — pomyślał. — Ale mniejsza z tym, póki mam Karlssona... no i oczywiście Bimba".

W pewnej chwili zbliżył się do nich jakiś pies i chciał walczyć z Bimbem, a Bimbo też bardzo się do tego palił. Miał ochotę pokazać temu głupiemu kundlowi, co o nim myśli. Lecz Braciszek nie pozwolił.

* Vasaparken — park w dzielnicy Vasastan.

— Nawet nie próbuj — ostrzegł go. — Jesteś za mały, żeby się bić z takim dużym psem.

Wziął Bimba na ręce i rozejrzał się za ławką, gdzie mógłby przysiąść i poczekać, aż Bimbo się uspokoi. Wszędzie jednak siedzieli ludzie i opalali się w pięknym słońcu. Dopiero gdzieś w dalekim zakątku parku znalazł wolne miejsce. Co prawda i na tej ławce siedziało już dwóch facetów, każdy z butelką piwa w garści. Poznał ich obydwu! Naturalnie, to byli Fille i Rulle! W pierwszej chwili Braciszek przestraszył się i chciał uciekać. Równocześnie jednak coś go jakby ciągnęło do tej ławki. Bo bardzo chciał wiedzieć, czy Fille i Rulle nadal polują na Karlssona, a teraz trafiała się, być może, okazja usłyszenia czegoś na ten temat. Zresztą dlaczego miałby się bać? Fille i Rulle nigdy go przecież nie widzieli, więc nie mogli go poznać. Świetnie, wspaniale! Mógł siedzieć koło nich, jak długo chciał. Tak właśnie robią bohaterowie w książkach przygodowych, kiedy mają coś wybadać. Po prostu siadają, zamieniając się w słuch.

Więc Braciszek usiadł na ławce i nastawił uszu, cały jednak czas rozmawiając z Bimbem, żeby Fille i Rulle nie zauważyli, że ich podsłuchuje.

Wyglądało na to, że niewiele się dowie. Fille i Rulle pili piwo i przez długą chwilę w ogóle się nie odzywali. Aż w końcu Fille głośno czknął i powiedział:

— Jasne, że możemy go złapać, wiemy przecież, gdzie mieszka. Widziałem masę razy, jak tam wlatywał.

Braciszek tak się przestraszył, że trudno mu było oddychać. Teraz koniec z Karlssonem! Fille i Rulle odkryli jego domek na dachu! No tak, teraz można się ze wszystkim pożegnać!

Braciszek gryzł palce i starał się nie płakać, ale właśnie gdy starał się ze wszystkich sił, Rulle powiedział:

— Ja też widziałem go wlatującego tam wiele razy... to jest to samo mieszkanie, gdzieśmy raz byli zeszłego lata. Na czwartym piętrze pod dwunastym, na drzwiach jest napisane Svantesson, sprawdziłem.

Oczy Braciszka zrobiły się aż okrągłe ze zdziwienia. Czyżby dobrze słyszał? Czy Fille i Rulle naprawdę myślą, że Karlsson mieszka u Svantessonów? Co za szczęście! A więc Karlsson może się schować u siebie i być tam dość bezpieczny, bo Fille i Rulle nie odkryli jego domku. Co za szczęście! Nie było to zresztą takie dziwne. Ani Fille, ani Rulle, ani nikt inny, poza kominiarzem, nie wdrapywał się na dach.

Co z tego jednak, że Fille i Rulle nie wiedzą o domku — i tak sprawa przedstawiała się fatalnie. Smutny będzie los Karlssona, jeżeli zaczną na serio na niego polować — ten głuptas nie rozumie, że musi się ukrywać.

Fille i Rulle znowu siedzieli jakiś czas w milczeniu. Wtem Rulle powiedział tak cicho, że Braciszek ledwo dosłyszał:

— Może dziś w nocy?

Dopiero wtedy Fille zauważył, że na ławce prócz nich jeszcze ktoś siedzi. Wytrzeszczył oczy na Braciszka i głośno zakaszlał.

— Tak, może powinniśmy nazbierać dziś w nocy trochę dżdżownic — powiedział.

Ale Braciszka nie tak łatwo było oszukać. Dobrze wiedział, co Fille i Rulle zamierzają zrobić tej nocy. Chcą złapać Karlssona, gdy będzie spał, i są przekonani, że on nocuje u Svantessonów.

„Muszę z nim o tym pomówić – postanowił Braciszek.
– Im szybciej, tym lepiej".

Jednakże Karlsson pojawił się dopiero pod wieczór, w porze kolacji. Tym razem nie przyfrunął, tylko zadzwonił jak należy do drzwi wejściowych. Braciszek otworzył.

– Ach, jak dobrze, że przyszedłeś – zaczął, ale Karlsson nie słuchał. Popędził prosto do panny Cap, do kuchni.

– Jakie dziś szykujesz paskudztwa? – zapytał. – Czy znów coś łykowatego, jak zwykle, czy też da się to pogryźć normalnymi zębami trzonowymi?

Panna Cap stała przy kuchni i smażyła placki, bo chciała podać wujowi Juliusowi coś łatwiejszego do gryzienia, lecz gdy usłyszała za sobą głos Karlssona, tak podskoczyła, że cała łyżka ciasta rozlała się po kuchence. Odwróciła się ze złością.

– Ty! – wrzasnęła. – Ty... nie masz odrobiny wstydu! Jak możesz tu przychodzić i patrzeć mi prosto w twarz, wstrętny złodzieju bułeczek!

Karlsson zasłonił oczy dwoma pulchnymi rączkami i zerkał łobuzersko przez szparę między palcami.

– Owszem, mogę, jeżeli zachowam trochę ostrożności – odparł. – Nie jesteś najpiękniejsza na świecie, ale człowiek do wszystkiego się przyzwyczaja, więc mogę, oczywiście. Najważniejsze, że jesteś miła... daj mi placków!

Panna Cap popatrzyła na niego wściekłym wzrokiem, a potem zwróciła się do Braciszka:

– Słuchaj, czy twoja mama powiedziała, że mamy karmić tego łobuza? Czy naprawdę on ma tu jadać?

Braciszek, jak zwykle, zaczął się jąkać:

– Mama uważa w każdym razie... że Karlsson...

– Odpowiadaj tak albo nie – rozkazała panna Cap. – Czy twoja mama powiedziała, że Karlsson ma się u nas stołować?

– Mama w każdym razie chce, żeby on... – zająknął się Braciszek, ale panna Cap przerwała mu, mówiąc wyjątkowo surowym głosem:

– Odpowiadaj tak albo nie, mówię! Nie jest chyba tak trudno odpowiedzieć tak albo nie na proste pytanie?

– Tak myślisz? – wtrącił się Karlsson. – Wobec tego zadam proste pytanie i sama zobaczysz. Posłuchaj! Czy przestałaś pić koniak przed południem, tak czy nie?

Panna Cap zaczęła sapać i przez chwilę wydawało się, że się udusi. Chciała coś powiedzieć, ale nie mogła.

– No i jak? – pytał Karlsson. – Przestałaś?

– Ależ oczywiście, przestała – wmieszał się pośpiesznie Braciszek. Chciał naprawdę jej pomóc, ale pannę Cap ogarnął istny szał.

– Na pewno nie przestałam! – wrzasnęła wściekle, a Braciszka obleciał śmiertelny strach.

– Nie, nie, ona nie przestała... – zaczął.

– Przykro to słyszeć – przerwał mu Karlsson. – Alkoholizm powoduje wiele złego.

Wówczas w pannie Cap coś jakby zabulgotało i osunęła się na krzesło. Braciszek natomiast wpadł wreszcie na właściwą odpowiedź.

– Ona nie przestała, bo nigdy nie zaczęła, zrozum! – powiedział z wyrzutem do Karlssona.

– Czy ja coś takiego mówiłem? – rzekł Karlsson, a potem zwrócił się do panny Cap: – Oj, głupia, głupia, widzisz teraz, że nie zawsze można po prostu odpowiedzieć tak czy nie... Daj mi placków!

Było jednak coś na tym świecie, czego panna Cap nie zamierzała zrobić, a mianowicie poczęstować Karlssona plackami. Warcząc, rzuciła się do drzwi kuchennych i otworzyła je na oścież.

— Wynocha! — wrzasnęła. — Wynocha!

I Karlsson posłuchał. Z dumną miną ruszył w stronę drzwi.

— Odchodzę — powiedział. — Odchodzę z radością. Nie ty jedna potrafisz piec placki.

Kiedy Karlsson znikł, panna Cap długo siedziała, nie odzywając się. Odpoczywała. Ale po chwili spojrzała niespokojnie na zegarek.

— Że też twój wuj jeszcze nie wrócił — powiedziała. — A jeżeli się zgubił? Nie zna przecież zbyt dobrze Sztokholmu.

Braciszek też się zaniepokoił.

— Rzeczywiście. Co będzie, jeśli nie trafi do domu?

W tym momencie w przedpokoju zadzwonił telefon.

— Może wuj Julius — ucieszył się Braciszek — chce powiedzieć, że się nie zgubił.

Panna Cap poszła odebrać, Braciszek pobiegł za nią. Nie był to jednak wuj Julius. Braciszek zaraz to spostrzegł, gdy tylko usłyszał gniewny głos panny Cap:

— Ach, to ty, Frido! Co słychać? Jak twój nosek?

Braciszek nie chciał przysłuchiwać się cudzym rozmowom telefonicznym, poszedł więc do siebie i usiadł, żeby sobie poczytać. Ale i tak przez co najmniej dziesięć minut dochodził go głos z przedpokoju.

Poczuł głód. Chciał, żeby rozmowa się skończyła, żeby wuj Julius wrócił do domu i żeby mogli wreszcie dostać coś do jedzenia. Prawdę mówiąc, chciał cokolwiek zjeść już teraz, natychmiast. Gdy tylko panna Cap odłożyła słuchawkę, wybiegł szybko do przedpokoju, żeby jej to oznajmić.

— No dobrze, możesz coś dostać — zgodziła się łaskawie i poszła pierwsza do kuchni. Lecz nagle stanęła w drzwiach. Jej potężne ciało wypełniło całe przejście i Braciszek nic nie mógł zobaczyć. Usłyszał tylko gniewny okrzyk, a kiedy z ciekawości wystawił głowę zza jej spódnicy, żeby się dowiedzieć, dlaczego krzyczy, zobaczył Karlssona.

Karlsson siedział przy stole i w błogim spokoju jadł placki. Braciszek wystraszył się, że panna Cap go zabije, bo na to wyglądało. Ale ona doskoczyła tylko do stołu i złapała za półmisek, na którym leżała reszta placków.

— Ty... ty... ty wstrętny nicponiu! — wrzasnęła.

Ale Karlsson trzepnął ją lekko po palcach i powiedział:

— Nie ruszaj moich placków! Kupiłem je uczciwie u Lindberga za pięć öre!

Co mówiąc, wpakował sobie do ust wielką porcję.

— Jak powiedziałem, nie ty jedna umiesz piec placki. Wystarczy kierować się swądem, a wszędzie się ich trochę znajdzie.

Braciszkowi zrobiło się żal panny Cap, bo zupełnie już nie wiedziała, co się dzieje.

— Gdzie... gdzie... gdzie są w takim razie moje placki? — mamrotała, patrząc na piec kuchenny. Stał na nim półmisek, ale doszczętnie wymieciony, i ten widok znów doprowadził ją do furii.

— Paskudny smarkaczu! — krzyknęła. — Zjadłeś też moje placki!

— A właśnie, że nie! — odparł oburzony Karlsson. — Ale ty wciąż tylko mnie obwiniasz.

W tym momencie rozległy się kroki na schodach. Chyba
nareszcie wracał wuj Julius. Braciszek ucieszył się i dlatego,
że skończy się kłótnia, i dlatego, że wuj nie zgubił się w wiel-
komiejskim zgiełku.

— Jakie szczęście — powiedział Braciszek — że wuj jednak trafił do domu.

— Tylko dzięki temu, że szedł po śladach — rzekł Karlsson. — Inaczej na pewno by zabłądził.

— Po jakich śladach? — zdziwił się Braciszek.

— Po tych, które ja zrobiłem — odparł Karlsson. — Bo ja
jestem najlepszy na świecie.

Gdy to mówił, usłyszeli dzwonek u drzwi wejściowych i panna Cap prędko poszła otworzyć, a Braciszek za nią, żeby przywitać wuja Juliusa.

— Witamy pana, panie Jansson — powiedziała ciepło panna Cap.

— Myśleliśmy, że może zabłądziłeś — dodał Braciszek.

Tymczasem wuj w ogóle im nie odpowiedział.

— Dlaczego — odezwał się srogo — w całym domu na każdej klamce wiszą placki?

Spojrzał oskarżycielsko na Braciszka, a ten wymamrotał ze strachem:

— Może John Blund...

Potem zaraz zawrócił na pięcie i rzucił się pędem do kuchni, żeby powiedzieć Karlssonowi parę słów prawdy.

Ale w kuchni żadnego Karlssona nie było. Stały tylko dwa puste półmiski po plackach, a w miejscu, gdzie przedtem siedział, leżała na ceracie odrobina dżemu.

Wuj Julius, Braciszek i panna Cap zjedli na obiad kaszankę. Całkiem niezła rzecz taka kaszanka.

Braciszek musiał szybciutko pobiec po nią do sklepu. Nie protestował, kiedy panna Cap go posłała, ponieważ chciał zobaczyć, jak wyglądają klamki z wiszącymi na nich plackami.

Placków wcale jednak nie było. Biegał po wszystkich piętrach i sprawdzał każdą klamkę, ale nigdzie nie znalazł ani jednego placka. Zaczął więc podejrzewać, że wuj wszystko zmyślił.

Zmienił zdanie dopiero na samym dole, przy wyjściu. Na ostatnim stopniu siedział Karlsson i jadł placki.

— Placki to dobra rzecz — stwierdził. — Teraz Bajeczny Julek poradzi sobie bez żadnych śladów, bo już zna drogę.

– A potem prychnął: – Ona jest niesprawiedliwa, ta Cap! Powiedziała, że zjadłem wszystkie placki, a przecież byłem niewinny jak baranek. Mogę w takim razie je opchnąć.

Braciszek nie mógł opanować śmiechu.

– Jesteś najlepszym na świecie zjadaczem placków – powiedział.

Ale zaraz przypomniał sobie coś, co przywróciło mu powagę. Coś okropnego, o czym mówili Fille i Rulle. Teraz nareszcie będzie mógł powiedzieć o tym Karlssonowi.

– Zdaje mi się, że oni chcą cię dziś w nocy złapać – rzekł z niepokojem. – Rozumiesz, co to znaczy?

Karlsson oblizał zatłuszczone palce i zarechotał radośnie.

– To znaczy, że będziemy mieli wesoły wieczór – odpowiedział. – Hoj, hoj! Hoj, hoj!

Karlsson jest najlepszym na świecie badaczem chrapania

Pomału zrobił się wieczór. Karlssona nie było przez cały dzień. Widocznie chciał, żeby panna Cap porządnie odpoczęła po tym jego tirrytowaniu plackami. Braciszek z wujem Juliusem byli tego dnia w muzeum kolejnictwa. Wuj bardzo lubił to miejsce, i Braciszek też. Potem, wróciwszy do domu, zjedli kolację z panną Cap. Wszystko przebiegło spokojnie – nigdzie nie było śladu Karlssona. Lecz gdy po kolacji Braciszek wszedł do swojego pokoju, zastał w nim Karlssona.

Prawdę mówiąc, Braciszek wcale się nie ucieszył na jego widok.

– Ach, jaki ty jesteś nieostrożny – powiedział. – Dlaczego teraz przyszedłeś?

– Jak możesz tak głupio pytać? – odparł Karlsson. – Bo będę u ciebie nocował, nie rozumiesz?

Braciszek westchnął. Przez cały dzień, nic nikomu nie mówiąc, niepokoił się i łamał sobie głowę, w jaki sposób schować Karlssona przed Fillem i Rullem. Rozmyślał i kombinował, jak tylko potrafił. Może wezwać policję? Nie, to nic nie da, bo trzeba by najpierw powiedzieć, dlaczego Fille i Rulle chcą go porwać, a tego nie należało robić. Czy może poprosić wuja Juliusa o pomoc? Nie, bo wtedy on zadzwoniłby natychmiast na policję i też trzeba by powiedzieć, dlaczego Fille i Rulle chcą porwać Karlssona, czyli że byłoby równie źle.

Karlsson natomiast ani nie rozmyślał, ani się nie zastanawiał, a tym bardziej nie czuł strachu. Całkiem spokojny stał teraz przy doniczce i sprawdzał, ile urosła pestka brzoskwini. Braciszek był jednak poważnie zatroskany.

— Zupełnie nie wiem, co robić — powiedział.

— Chodzi ci o Fillego i Rullego? — spytał Karlsson. — A ja wiem. Tak jak mówiłem, są trzy sposoby: tirrytowanie, figielkowanie i wykiwywanie. Zamierzam użyć wszystkich trzech.

Braciszek był zdania, że najlepszy będzie czwarty sposób, to znaczy, żeby Karlsson spędził tę noc u siebie, w swoim domku, i żeby leżał skulony pod kołdrą, cicho jak mysz pod miotłą. Ale Karlsson powiedział, że ze wszystkich głupich sposobów ten jest najgłupszy.

Braciszek nie chciał jednak dać za wygraną. Przypomniał sobie o cukierkach, które dostał od wuja Juliusa, i przyszło mu na myśl, że może uda się przekupić nimi Karlssona. Zamachał mu torebką przed nosem możliwie najbardziej kusząco i powiedział chytrze:

— Dostaniesz całą torebkę, jeżeli polecisz do siebie i położysz się!

Ale Karlsson odepchnął rękę Braciszka.

— A fe, jesteś okropny — rzekł. — Zatrzymaj sobie te swoje paskudne cukierki! Nie myśl, że chcę je mieć.

Wydął wargi, bardzo nadąsany, i usiadł na stole w najdalszym kącie pokoju.

— Jak jesteś taki okropny — powiedział — to ja się nie bawię. Nie bawię się i już.

Braciszek wpadł w rozpacz. Nie było dla niego gorszej rzeczy, jak usłyszeć, że Karlsson nie będzie się bawił. Prędko więc zaczął go prosić o przebaczenie i jak tylko mógł, próbował go udobruchać, ale bez skutku. Karlsson dalej się boczył.

– W takim razie nie wiem już, co mam robić – powiedział Braciszek.

– A ja wiem – odparł Karlsson. – Nie jestem całkiem pewny, ale może będę się bawił, jeżeli podarujesz mi jakiś mały drobiazg... Mógłbym ewentualnie wziąć tę torebkę z cukierkami!

Więc Braciszek dał mu torebkę i Karlsson znów chciał się bawić. I zamierzał chcieć przez całą noc.

– Hoj, hoj, hoj – powiedział. – Nie uwierzysz, jak się będę bawił!

Ponieważ Karlsson uparł się, że nie będzie nocować u siebie, Braciszek uznał, że nie pozostaje nic innego, jak znów posłać sobie na kanapie, i już chciał się do tego zabrać, gdy Karlsson powiedział, że nie warto! Bo i tak w ciągu tej nocy nie będzie spania, wręcz przeciwnie.

– Liczę, że Cap Domowy i Bajeczny Julek szybko zasną, bo potem musimy zacząć działać – powiedział.

Wuj Julius rzeczywiście wcześnie się położył do łóżka. Był pewnie zmęczony po niepokojach poprzedniej nocy i wszystkich całodziennych dokonaniach. Panna Cap też z pewnością potrzebowała snu po wyczerpującym tirrytowaniu bułeczkami i plackami. Wkrótce i ona zniknęła w swoim pokoju, a raczej w pokoju Bettan, gdzie została umieszczona na czas jej nieobecności.

Przed pójściem spać oboje weszli do Braciszka, żeby mu powiedzieć dobranoc. Karlsson skrył się na tę chwilę w szafie. Sam uznał, że tak będzie najrozsądniej.

Wuj Julius powiedział, ziewając:
— Mam nadzieję, że John Blund niedługo przyjdzie i pozwoli nam wszystkim zasnąć pod swym czerwonym parasolem.
„Akurat" — pomyślał Braciszek, ale głośno powiedział tylko to:
— Dobranoc, wuju Juliusie! Dobranoc, panno Cap!
— Ty też zaraz się kładź — powiedziała panna Cap. I oboje wyszli.
Braciszek przebrał się w piżamę. Uważał, że tak będzie lepiej, gdyby przypadkiem panna Cap albo wuj przyszli w środku nocy i zobaczyli go. Czekając, aż tamtych dwoje zaśnie, grali z Karlssonem w durnia. Ale Karlsson okropnie oszukiwał i wciąż chciał wygrywać, bo inaczej nie bawił się. Więc Braciszek dawał mu wygrywać, ile razy to było możliwe. Lecz w końcu, kiedy się okazało, że i tak przegra jedną partię, Karlsson szybko zgarnął karty i powiedział:
— Nie mamy już czasu na granie, teraz musimy zacząć działać.
Wuj Julius i panna Cap na pewno już zasnęli, bez żadnej pomocy Johna Blunda i jego parasola. Karlsson zabawiał się przez dłuższą chwilę bieganiem od drzwi jednej sypialni do drzwi drugiej i porównywaniem chrapań.
— Kto jest najlepszym na świecie badaczem chrapania? Zgadnij! — zwrócił się zachwycony do Braciszka i zaczął naśladować oba rodzaje chrapania. — Grrrr-pi-pi-pi to Bajeczny Julek. A Cap Domowy chrapie tak: Grrrr-asz, Grrrr-asz!
Po chwili wpadł na inny pomysł. Zostało mu jeszcze bardzo dużo cukierków w torebce, mimo że poczęstował

Braciszka jednym, a sam zjadł ich z dziesięć. Teraz, stwierdził, musi gdzieś schować torebkę, żeby mieć wolne ręce do działania. A torebka musi się znaleźć w całkowicie pewnym miejscu.

— Bo przyjdą złodzieje — powiedział. — Macie w domu kasę pancerną?

Braciszek odparł, że gdyby była, przede wszystkim zamknąłby w niej Karlssona, ale niestety nie ma takowej. Karlsson zastanawiał się przez chwilę.

— Zaniosę torebkę do Bajecznego Julka — zdecydował.

— Bo jak złodzieje usłyszą „Grrrr-pi-pi-pi", pomyślą, że to tygrys, i nie będą śmieli wejść.

Pomalutku otworzył drzwi do sypialni wuja Juliusa. Grrrr-pi-pi-pi... rozlegało się teraz jeszcze głośniej. Karlsson zachichotał z radości i znikł w sypialni razem z torebką. Braciszek stał i czekał.

Po chwili Karlsson wrócił. Bez torebki. Trzymał natomiast w garści zęby wuja Juliusa.

— Ależ, Karlsson — przeraził się Braciszek. — Po co stamtąd je wziąłeś?

— Nie sądzisz chyba, że moje cukierki zostawiłbym na przechowanie u kogoś, kto ma zęby — odparł Karlsson.

— Przypuśćmy, że Bajeczny Julek obudzi się w nocy i zobaczy torebkę! Mając zęby pod ręką, z pewnością rozpoczął by niepohamowane chrupanie. Ale teraz ich nie ma, na szczęście.

— Tego by wuj nigdy nie zrobił — zaprotestował Braciszek. — Nigdy by nie wziął ani jednego cudzego cukierka.

— Oj, głuptasie — odparł Karlsson. — On może przecież pomyśleć, że odwiedziła go jakaś wróżka ze świata baśni i dała mu tę torebkę z cukierkami.

— Tego nie pomyśli, bo sam mi ją kupił — powiedział Braciszek, ale Karlsson nie chciał już słuchać.

— Wziąłem zęby, bo ich potrzebuję — oświadczył.

Oświadczył też, że potrzebuje mocnego sznura, więc Braciszek poleciał do kuchni i przyniósł z szafy gospodarczej sznur do bielizny.

— Po co ci to? — zapytał.

— Zrobię pułapkę na złodziei — wyjaśnił Karlsson.

— Okropną, straszliwą, morderczą pułapkę na złodziei.

Pokazał nawet, gdzie ją umieści — tam, gdzie wąski przedpokój łączy z hallem sklepione przejście.

— Dokładnie tu — powiedział.

W przedpokoju stały po obu stronach solidne krzesła. Karlsson zbudował pułapkę, równie prostą, co chytrą, w taki sposób, że napiął sznur na niskiej wysokości — prawie przy samej podłodze — w poprzek przejścia i porządnie go przywiązał do mocnych nóg krzesła. Każdy, kto po ciemku chciałby wejść z sieni do przedpokoju, musiałby potknąć się o sznur, co do tego nie było wątpliwości.

Braciszek przypomniał sobie, że gdy w zeszłym roku Fille i Rulle przyszli, żeby ich okraść, dostali się do mieszkania za pomocą długiego, stalowego drutu, który wsunęli przez szparę na listy i którym otworzyli zamek. Pewnie tym razem zamierzają zrobić tak samo, więc jeżeli potkną się o sznur, to dobrze im tak.

Braciszek zaśmiał się cichutko, a potem przyszło mu na myśl coś, co wprawiło go w jeszcze większą wesołość.

– Chyba całkiem niepotrzebnie się niepokoiłem – powiedział. – Bo Bimbo będzie tak szczekał, że zbudzi cały dom, i wtedy obaj, Fille i Rulle, ucieknią.

Karlsson wytrzeszczył na niego oczy, jakby nie wierząc własnym uszom.

– W takim razie – odezwał się srogo – w takim razie całkiem niepotrzebnie robiłem pułapkę. I może myślisz, że się z tym pogodzę? Naprawdę tak myślisz? O, nie. Psa trzeba wyrzucić, i to natychmiast.

Braciszek bardzo się rozgniewał.

– O czym ty myślisz? Co miałbym z nim zrobić, zastanowiłeś się nad tym?

Wtedy Karlsson powiedział, że Bimbo może spać u niego na górze. Może sobie leżeć wygodnie na jego kanapce w kuchni i pochrapywać, ile tylko zechce, a on tymczasem będzie poza domem, na figielkowaniu. A Bimbo, kiedy jutro rano wygramoli się z łóżka, znajdzie się po kolana w mielonym mięsie, zaręczył Karlsson. Byle tylko Braciszek był rozsądny.

Ale Braciszek nie chciał być rozsądny w taki właśnie sposób. Uważał, że pozbywanie się Bimba jest nikczemnością. A ponadto byłoby naprawdę dobrze, żeby pies szczekał, kiedy pojawią się Fille i Rulle.

— No tak, ty tylko wszystko psujesz — odezwał się Karlsson z goryczą. — Nigdy nie dasz mi się zabawić, o nie! Cały czas przeszkadzasz mi tirrytować i figielkować i wykiwywać! Najważniejsze dla ciebie jest to, żeby twój pies mógł szczekać w nocy i hałasować.

— Rozumiesz chyba, że... — zaczął Braciszek, ale Karlsson przerwał mu:

— Nie bawię się! Możesz sobie znajdywać figielkarzy, gdzie ci się podoba, ja po prostu nie bawię się!

Bimbo właśnie przed chwilą zasnął, więc gdy Braciszek przyszedł wyciągnąć go z koszyka, warknął niechętnie. A gdy Karlsson poszybował z nim w górę, Braciszek zobaczył jedynie parę wielkich, zdziwionych psich oczu.

— Nie bój się, Bimbo! Niedługo przyjdę i cię zabiorę! — zawołał, chcąc go pocieszyć.

Karlsson wrócił po paru minutach, wesoły i zadowolony.

— Pozdrowienia od Bimba. Zgadnij, co powiedział! Otóż powiedział: „Jak tu miło u ciebie, Karlssonie. Może mógłbym zostać teraz twoim psem?".

— Cha, cha, tego nie powiedział!

Braciszek roześmiał się, bo dobrze wiedział, czyim Bimbo jest psem, i Bimbo też to wiedział.

— No dobra, teraz wszystko w porządku — rzekł Karlsson.

— Rozumiesz chyba, że jak jest dwóch dobrych przyjaciół, jak ty i ja, to jeden musi się nieraz dostosować do drugiego i od czasu do czasu robić tak, jak chce ten drugi.

– Zgoda, ale zawsze ty jesteś tym drugim – odparł Braciszek, tłumiąc śmiech.

Zastanawiało go postępowanie Karlssona. Każdy człowiek na pewno by zrozumiał, że w taką noc jak ta najlepiej byłoby, żeby Karlsson spał na górze na swojej kanapce w kuchni, z głową pod kołdrą, a Bimbo żeby spał na dole i spłoszył Fillego i Rullego takim szczekaniem, że dom by się trząsł. No ale Karlsson zdecydował o wszystkim całkiem na odwrót i prawie udało mu się przekonać Braciszka, że tak jest najlepiej. Zresztą Braciszek chętnie mu uwierzył, bo w głębi duszy przepadał za przygodami i był bardzo ciekaw, jak tym razem Karlsson będzie figielkować.

Karlssonowi zaczęło się teraz śpieszyć, sądził bowiem, że Fillego i Rullego można się spodziewać w każdej chwili.

– Wyfigielkuję coś, co ich już na samym początku śmiertelnie wystraszy – powiedział. – Do tego nie potrzeba żadnego głupiego pieska. Możesz mi wierzyć.

Pobiegł pędem do kuchni i zaczął energicznie grzebać w szafie gospodarczej. Braciszek poprosił go przestraszony, żeby się zachowywał trochę ciszej, bo przecież panna Cap śpi w pokoju Bettan, za ścianą. Karlsson o tym nie pomyślał.

– Masz słuchać pod drzwiami – rozkazał. – I daj mi znać, jak tylko przestaniesz słyszeć: Grrr-pi-pi-pi i Grrr-asz, bo to będzie oznaczało, że niebezpieczeństwo jest tuż, tuż.

Zastanowił się przez chwilę.

– Wiesz, co masz wtedy zrobić? – spytał. – Masz zacząć chrapać, najgłośniej jak potrafisz. W taki oto sposób: Grrr--aaaah, Grrr-aaaah!

– Po co? – zdziwił się Braciszek.

– Po to, że jeżeli zbudzi się wuj Julius, pomyśli, że słyszy pannę Cap, a jeżeli zbudzi się panna Cap, pomyśli, że słyszy wuja Juliusa. Ale ja będę wiedział, że Grrr-aaaah oznacza ciebie, i wtedy zorientuję się, że ktoś z nich nie śpi i że grozi niebezpieczeństwo, więc wpełznę do szafy gospodarczej i schowam się w niej, hi, hi. Kto jest najlepszym na świecie figielkarzem, zgadnij!

– A co mam zrobić, jeżeli przyjdą Fille i Rulle? – spytał Braciszek mocno przerażony, bo nie czułby się zbyt dobrze sam w przedpokoju w chwili, gdy wejdą złodzieje, a Karlsson będzie daleko w kuchni.

– Wtedy też masz chrapać – odparł Karlsson. – Tym razem tak: Grrr-hy-hy-hy, Grrr-hy-hy-hy.

Braciszek pomyślał, że zapamiętanie tych wszystkich Grrr-pi-pi-pi i Grrr-asz, i Grrr-aaah, i Grrr-hy-hy-hy jest co najmniej równie trudne jak tabliczka mnożenia, ale obiecał, że zrobi, co będzie mógł.

Karlsson podszedł do szafy i wyciągnął z niej wszystkie ręczniki.

– Nie wystarczą – stwierdził. – Ale jest ich pewnie więcej w łazience.

– Co chcesz zrobić? – zapytał Braciszek.

– Mumię – odpowiedział Karlsson. – Okropną, straszliwą, makabryczną mumię.

Braciszek niewiele wiedział o mumiach, ale wydawało mu się, że to jest coś, co bywa odkrywane w starych grobach królewskich w Egipcie. Pewnie po prostu nieżyjący królowie i królowe, którzy tam leżą jak jakieś sztywne tłumoki, z wytrzeszczonymi oczami. Tata kiedyś o tym opowiadał. Królowie i królowe byli zabalsamowani, mówił tata, bo chciano ich zachować dokładnie takimi, jakimi byli za życia. I tata mówił, że byli poowijani warstwami w stare, płócienne szmaty. Ale, zdaniem Braciszka, Karlsson nie był żadnym specjalistą od balsamowania, zapytał więc ze zdziwieniem:

— Jak zrobisz mumię?

— Owinę trzepaczkę do dywanów, ale to nie twoje zmartwienie — powiedział Karlsson. — Stań na straży i pilnuj swojej roboty, a ja zajmę się moją.

Tak więc Braciszek stanął na straży. Podsłuchiwał pod drzwiami, skąd dochodziły go najbardziej uspokajające chrapania: Grrr-pi-pi-pi i Grrr-asz, dokładnie tak, jak powinno być. Ale po chwili wuja Juliusa nawiedziły widocznie jakieś koszmary, bo nagle jego chrapanie stało się bardzo dziwne i jakby lamentujące: Grrr-mmmm, Grrr-mmmm, nie żadne spokojne, szumiące: pi-pi-pi. Braciszek zastanawiał się, czy nie byłoby bezpieczniej pójść do kuchni i powiedzieć o tym najlepszemu na świecie badaczowi chrapania, ale akurat w chwili, gdy gruntownie tę możliwość rozważał, usłyszał pośpieszne kroki, potem straszliwy łomot, a po nim wiązankę przekleństw. To wszystko dochodziło od strony pułapki. Ojej, ratunku, na pewno Fille i Rulle dostali się do mieszkania!

Równocześnie zauważył z przerażeniem, że Grrr-asz całkiem umilkło. Ojej, ratunku, co ma robić? Zrozpaczony, powtórzył wszystkie pouczenia Karlssona, po czym zaczął swoje jękliwe Grrr-aaah, po którym nastąpiło równie jękliwe Grrr-hy-hy-hy, ale wszystko razem nic a nic nie przypominało chrapania.

Znów spróbował.

— Grrr...

— Zatkaj się! — syknął ktoś przy pułapce i Braciszek dostrzegł w ciemności coś małego i grubego pełzającego między przewróconymi krzesłami i bezskutecznie usiłującego się podnieść. To był Karlsson.

Braciszek podbiegł do niego i odsunął krzesła, żeby mógł wstać. Ale Karlsson wcale nie okazał wdzięczności. Był zły jak osa.

— To twoja wina! — syczał. — Nie mówiłem, że masz mi przynieść ręczniki z łazienki?

Tego jednak Karlsson wcale nie mówił. Zapomniał, biedak, że droga do łazienki wiedzie przez pułapkę, na co Braciszek nie mógł przecież nic poradzić.

Nie mieli zresztą czasu na kłócenie się, kto był winien, bo właśnie usłyszeli, jak w pokoju panny Cap zgrzytnęła klamka. Nie było sekundy do stracenia.

— Uciekaj — szepnął Braciszek.

Karlsson poleciał do kuchni, a Braciszek rzucił się jak szalony do swojego pokoju i wskoczył do łóżka.

Zdążył rzeczywiście w ostatnim momencie. Podciągnął kołdrę wysoko pod brodę i spróbował wydobyć z siebie ciche, wiarygodne Grrr-aaah, ale nie zabrzmiało to dobrze, więc zamilkł i leżał, słuchając, jak panna Cap wchodzi i zbliża się do łóżka. Zerknął ostrożnie spod rzęs i zobaczył ją stojącą w nocnej koszuli, białą w szarości zmierzchu. Patrzyła na niego tak lodowatym wzrokiem, że poczuł ciarki na całym ciele.

— Nie próbuj udawać, że śpisz — odezwała się, ale jej głos nie był gniewny. — Ciebie też zbudził grzmot? — zapytała, a Braciszek wyjąkał:

— Tak... tak mi się zdaje.

Panna Cap kiwnęła głową potwierdzająco.

— Cały dzień czułam, że będzie burza. Było tak parno i dziwnie. Ale nie musisz się bać — powiedziała i poklepała Braciszka po głowie. — Pogrzmi tylko trochę, bo pioruny nigdy nie uderzają w środku nocy.

I poszła sobie. Braciszek leżał długą chwilę, nie mając odwagi się ruszyć. W końcu wygramolił się powoli z łóżka. Myślał z niepokojem, co się dzieje z Karlssonem, więc przemknął do kuchni najciszej, jak tylko mógł.

Pierwszą rzeczą, którą zobaczył, była mumia. Święty Jeremiaszu — jak zwykł mawiać wuj Julius — zobaczył prawdziwą mumię!

Siedziała na ladzie przy zlewie, a obok stał Karlsson.

Dumny jak paw oświetlał ją latarką, którą znalazł w szafie gospodarczej.

— Czy nie szykowna? — rzekł.

„Ona — a więc jest to mumia królowej" — pomyślał Braciszek. Dość grubiutkiej królowej, bo Karlsson owinął trzepaczkę wszystkimi ręcznikami, jakie tylko znalazł w kuchni i łazience. Z szerszej części trzepaczki zrobił coś na kształt twarzy, napinając ręcznik, na którym narysował dwoje wielkich, wytrzeszczonych, czarnych oczu. Mumia miała też zęby. Prawdziwe. Zęby wuja Juliusa. Siedziały wczepione w ręcznik i choć z pewnością były również dobrze przymocowane do wiklinowej plecionki trzepaczki, Karlsson chcąc, żeby trzymały się pewniej, przylepił je na końcach

kawałkami plastra. Mumia była bez wątpienia upiorna, ale mimo to Braciszek zachichotał.

– Dlaczego ma plastry na twarzy? – zapytał.

– Bo się goliła – odpowiedział Karlsson i poklepał ją po policzku. – Hoj, hoj, ona jest tak podobna do mojej matki, że nazwę ją Mamuchna.

Wziął mumię na ręce i wyniósł do przedpokoju.

– Miło chyba będzie Fillemu i Rullemu poznać Mamuchnę – rzekł.

Karlsson najlepiej figielkuje w ciemności

Przez szparę na listy wsunął się długi, stalowy drut. Nie było go widać, bo w przedpokoju panowała całkowita ciemność, dochodziły natomiast jakieś podejrzane zgrzyty i chroboty. No tak, to przyszli Fille i Rulle! Braciszek z Karlssonem już co najmniej od godziny siedzieli skuleni pod okrągłym stołem w przedpokoju i czekali. Braciszek nawet drzemał przez chwilę. Ale zgrzyt w szparze na listy gwałtownie go zbudził. Ojej, teraz już na pewno idą! Był już całkiem rozbudzony i ogarnął go taki strach, że poczuł zimny pot na plecach. Tymczasem Karlsson, zadowolony, zagruchał w ciemności.

– Hoj, hoj! – szepnął. – Hoj, hoj!

Że też tak łatwo dało się otworzyć zamek stalowym drutem! Teraz ktoś ostrożnie pchnął drzwi i wszedł, ktoś był w przedpokoju – Braciszek wstrzymał dech, sytuacja była naprawdę paskudna! Usłyszeli szepty, potem skradające się kroki... a potem łomot... och, jaki okropny, i w końcu dwa stłumione krzyki! Sekundę później zabłysła nagle pod stołem latarka kieszonkowa Karlssona i równie nagle zgasła, lecz przez jedno okamgnienie pełne światło padło na trupio bladą mumię, która stała oparta o ścianę i w ohydnym grymasie szczerzyła zęby – zęby wuja Juliusa. I znów ktoś krzyknął koło pułapki, tym razem trochę głośniej.

Potem zdarzenia potoczyły się bez ładu i składu. Braciszek nie umiał doszukać się w tym wszystkim jakiejkolwiek kolejności.

Słyszał otwierające się drzwi, to wuj Julius i panna Cap biegli kłusem – równocześnie szybkie kroki uciekających przez przedpokój – usłyszał też, że Mamuchna obsunęła się na podłogę, kiedy Karlsson przyciągnął ją do siebie na smyczy Bimba. Słyszał również, jak panna Cap kilkakrotnie naciskała kontakt, żeby zapalić światło, ale Karlsson powykręcał wszystkie korki przy liczniku w kuchni – figielkuje się najlepiej po ciemku, powiedział – i dlatego panna Cap i wuj Julius stali teraz bezradnie, nie mogąc zapalić światła.

– Co za straszna burza – odezwała się panna Cap. – Jaki huk, co? Nic dziwnego, że wyłączono prąd.

– Czy to naprawdę burza? – zdziwił się wuj. – Myślałem, że to zupełnie coś innego.

Ale panna Cap zapewniła go, że rozpoznaje burzę po odgłosach.

– Co by zresztą mogło być innego? – zastanowiła się.

– Wydawało mi się, że może jakieś nowe duszki ze świata baśni umówiły się tutaj tej nocy – powiedział wuj.

Właściwie powiedział „dufki se sfiata paśni", bo tak seplenił, że bardziej syczał, niż mówił. Braciszek domyślił się, że to z powodu braku zębów, ale zaraz o tym zapomniał. Nie miał czasu na myślenie o czymkolwiek innym jak tylko o Fillem i Rullem. Gdzie oni byli? Czy poszli sobie? Nie słyszał, żeby drzwi wejściowe zatrzasnęły się za nimi, dlatego musieli gdzieś być w tonącym w ciemnościach przedpokoju, może schowani za płaszczami. Ojej, jakie to straszne! Braciszek przysunął się do Karlssona, jak tylko mógł najbliżej.

109

— Spokój, grunt to spokój — szepnął Karlsson. — Za chwilę będziemy ich tu znowu mieli.

— No tak, jak nie jedno, to drugie — powiedział wuj Julius.

— F tym domu nigdy się nie sasna cisy nosnej.

A potem oboje z panną Cap udali się do swoich pokoi i znowu zrobiło się cicho. Karlsson z Braciszkiem siedzieli dalej pod stołem i czekali. Braciszkowi wydawało się, że trwa to wieczność. Znów doszło ich Grrr-p-pi-pi i Grrr-asz, co prawda słabe i z oddali, ale jednak świadczące wyraźnie, że wuj Julius i panna Cap zasnęli.

I wtedy Fille i Rulle znowu wyszli z ciemności. Stąpali bardzo ostrożnie, a przy pułapce przystanęli, nadsłuchując. Słyszało się ich oddech. To było okropne. Wtem zapalili latarki kieszonkowe, bo też je mieli, i strumienie światła zaczęły badawczo wędrować po pokoju. Braciszek zamknął oczy w nadziei, że stanie się mniej widoczny. Na szczęście serweta na stole zwisała nisko, ale i tak Fille i Rulle mogli ich niesłychanie łatwo znaleźć w takiej kryjówce, jego, Karlssona i Mamuchnę. Braciszek zacisnął powieki i wstrzymał oddech. Słyszał, jak Fille i Rulle szepczą między sobą, tuż przy nim.

— Ty też widziałeś ducha? — spytał Fille.

— Jeszcze jak — odpowiedział Rulle. — Stał tam, pod ścianą, ale teraz go nie ma.

— To jest mieszkanie najczęściej nawiedzane przez duchy w całym Sztokholmie, wiemy przecież o tym od dawna — rzekł Fille.

— Fuj, uciekajmy stąd — powiedział Rulle.

Ale Fille nie chciał.

— W żadnym razie! Dla dziesięciu tysięcy koron wytrzymam kilka tuzinów duchów, zapamiętaj sobie!

Podniósł cicho krzesła podtrzymujące pułapkę i odstawił je na bok, nie chciał, żeby stały w przejściu, gdyby się zdarzyło, że musiałby szybko stąd uciekać, i zastanawiał się ze złością, jakie to okropne dzieciaki mieszkają w tym domu. Żeby bawić się w łapanie w sidła i przewracanie ludzi przychodzących w odwiedziny!

— Upadłem na twarz, prosto na jedno oko, na pewno mi zsinieje, podli smarkacze!

Poświecił latarką we wszystkie kąty i zakamarki.

— Zobaczymy teraz, dokąd prowadzą te drzwi, i zaczniemy szukać — powiedział.

Strumień światła błąkał się to tu, to tam, a za każdym razem, kiedy zbliżał się do stołu, Braciszek zaciskał oczy i robił się tak malutki, jak tylko mógł. Zrozpaczony, podciągnął nogi pod siebie, bo wydały mu się olbrzymie i niemieszczące się pod serwetą, sterczały spod niej akurat na tyle, żeby Fille i Rulle je zobaczyli.

W trakcie tego wszystkiego zauważył, że Karlsson znów coś robi przy Mamuchnie. Światło latarki powędrowało teraz gdzie indziej i pod stołem było ciemno, ale mimo to Braciszek dostrzegł, jak Karlsson potrząsa Mamuchną i opiera ją plecami o stół. Tam właśnie stała, kiedy Fille nagle zaświecił prosto w jej okropną, wykrzywioną grymasem twarz. I znowu dały się słyszeć najpierw dwa stłumione okrzyki, a potem szybkie kroki uciekających.

Wówczas Karlsson ożywił się.

— Chodź — szepnął Braciszkowi do ucha, a potem, ciągnąc za sobą Mamuchnę na smyczy, przeczołgał się po podłodze szybko jak jeż i znikł w pokoju Braciszka. Braciszek przeczołgał się za nim.

– Co za prostaki – powiedział Karlsson, przymykając za sobą drzwi. – Uważam za prostactwo, jeśli nie umie się odróżnić ducha od mumii.

Zostawił niedomknięte drzwi do ciemnego przedpokoju i nadsłuchiwał. Braciszek robił to samo i miał nadzieję, że usłyszy zatrzaskujące się za Fillem i Rullem drzwi wejściowe, ale tak dobrze nie było. Najwyraźniej zostali w mieszkaniu, słyszał nawet, jak rozmawiają ze sobą po cichu.

– Dziesięć tysięcy koron – powiedział Fille. – Nie zapominaj o tym! Nie dam się zastraszyć żadnymi duchami, żebyś wiedział!

Minęła chwila. Karlsson pilnie nadsłuchiwał.

– Są teraz u wuja Juliusa – rzekł. – Hoj, hoj, zdążymy wobec tego coś niecoś zrobić.

Zdjął smycz z Mamuchny i z czułością położył ją do łóżka Braciszka.

– Hejsan, hoppsan, Mamuchno, teraz nareszcie możesz spać – powiedział, otulając ją kołdrą niczym matka swoje dziecko.

Potem kiwnął na Braciszka.

– Zobacz, czy nie rozkoszna? – powiedział, oświetlając latarką mumię.

Braciszek wzdrygnął się. Mumia leżała, patrząc w sufit czarnymi, wytrzeszczonymi oczami, a jej okropny grymas mógł każdego śmiertelnie wystraszyć.

Karlsson poklepał ją z zadowoleniem, a potem naciągnął prześcieradło i koc aż na jej oczy. Wziął narzutę, którą panna Cap, kiedy przyszła powiedzieć Braciszkowi dobranoc, złożyła i zostawiła na krześle, i przykrył nią starannie całe łóżko. „Może po to, żeby Mamuchna nie zmarzła" – pomyślał Braciszek, tłumiąc śmiech. Nie było jej teraz widać, tylko wielkie, pękate ciało wybrzuszało się pod pościelą.

– Hejsan, hoppsan, Braciszku – powiedział Karlsson.

– Myślę, że i ty nareszcie trochę sobie pośpisz.

– Gdzie? – spytał Braciszek trwożliwie, bo za nic nie chciał spać obok mumii. – Nie mogę przecież leżeć w łóżku, kiedy Mamuchna...

– Nie, ale możesz pod łóżkiem – odpowiedział Karlsson. I wpełzł pod łóżko szybko jak jeż, a Braciszek wpełzł za nim, najszybciej, jak tylko mógł.

– Usłyszysz teraz typowe chrapanie szpiega – powiedział Karlsson.

– Czy szpiedzy chrapią w jakiś specjalny sposób? – zdumiał się Braciszek.

– Owszem, chrapią zdradziecko i niebezpiecznie, tak że można zwariować. W ten sposób: Ooooooh, Ooooooh, Ooooooh!

Chrapanie szpiega brzmiało groźnie, wzmagało się i słabło, i warczało. A poza tym było dość głośne.

Braciszek zaniepokoił się.

– Ciszej! – szepnął. – Przecież oni mogą przyjść, Fille i Rulle.

– Tak, i właśnie dlatego potrzebne jest specjalne chrapanie szpiega.

W tym momencie Braciszek usłyszał, że ktoś naciska klamkę u drzwi. Pokazała się wąska szpara. Do pokoju wpadł snop światła, a za nim weszli Fille i Rulle.

Karlsson chrapał zdradziecko i niebezpiecznie, Braciszek z rozpaczy zamknął oczy. A wcale nie musiał tego robić. I tak nie było go widać. Narzuta zwisała aż do podłogi, osłaniając i jego, i Karlssona przed wszelkim niedyskretnym światłem i jakimikolwiek szperającymi oczami. Widocznie Karlsson tak sprytnie wszystko obmyślił.

— Ooooooh — chrapał teraz.

— Nareszcie trafiliśmy — odezwał się Fille stłumionym głosem. — Żadne dziecko tak nie chrapie, to musi być on. Spójrz na tego grubego łobuza, co tam leży, to z całą pewnością on.

— Oooooh — odezwało się gniewne chrapnięcie, świadczące bezsprzecznie, że Karlsson nie chce być nazywany grubym łobuzem.

— Masz gotowe kajdanki? — zapytał Rulle. — Najlepiej je założyć, póki śpi.

Narzuta lekko zaszeleściła i równocześnie Braciszek usłyszał, jak Fille i Rulle wstrzymali oddech. Musieli zoba-

czyć w tym momencie szyderczy uśmiech upiornej, trupio bladej mumii, spoczywającej na poduszce. Widocznie jednak byli już do niej przyzwyczajeni i nie tak łatwo dawali się zastraszyć, bo ani nie krzyknęli, ani nie uciekli, tylko stali, dysząc.

— Eh, to przecież lalka — odezwał się Fille trochę speszony... ale taka, kurczę, lalka, fuj — dodał i chyba zakrył ją, bo narzuta, szeleszcząc, wróciła na swoje miejsce.

— Słuchaj — rzekł Rulle — wytłumacz mi, jak ta lalka się tu znalazła? Dopiero co była w przedpokoju, prawda?

— Masz rację — odpowiedział Fille, namyślając się.

— A poza tym, kto tu chrapie?

Tego jednak nie zdążył się dowiedzieć, bo w tym momencie dały się słyszeć kroki nadchodzące z przedpokoju.

Braciszek poznał ciężki sposób stąpania i pomyślał nerwowo, że teraz będzie huk gorszy od burzy.

Ale nic takiego nie nastąpiło.

— Prędko do szafy — syknął Fille i w jednym okamgnieniu obaj wskoczyli do szafy Braciszka.

Wówczas Karlsson ożywił się. Szybko jak jeż podpełzł do szafy i porządnie ją zamknął. Potem równie szybko pełzając, wrócił na swoje miejsce pod łóżkiem, a w następnej sekundzie weszła do pokoju panna Cap. W białej koszuli i z zapaloną świecą w ręku wyglądała prawie jak święta Łucja*.

---

* Święta Łucja — w Skandynawii patronka „żyjącego" światła, które symbolizuje płomyk świecy. W dniu jej święta (13 grudnia) młode dziewczęta tworzą pochód towarzyszący wybranej dziewczynie — „świętej Łucji", przyodzianej w długą, białą szatę i wianek, w którym są świece. Dziewczęta chodzą o świcie po domach i częstują gospodarzy słodyczami.

Gdy Braciszek zobaczył jej wielkie palce u nóg przy brzegu łóżka i równocześnie usłyszał wysoko nad swoją głową jej srogi głos, wiedział już, że doszła do niego.

— Czy to ty, Braciszku, byłeś dopiero co w moim pokoju i świeciłeś latarką? — zapytała.

— Nie, to nie ja — wyjąkał Braciszek bez namysłu.

— Dlaczego wobec tego nie śpisz? — zapytała panna Cap podejrzliwie, a potem powiedziała: — Nie przykrywaj się kołdrą, kiedy rozmawiasz, bo nie słychać, co mówisz!

I narzuta znowu zaszeleściła, gdy panna Cap ściągnęła ją z tego, co — jak sądziła — było głową Braciszka. Wtedy rozległ się głośny skowyt, bo — jak sobie Braciszek pomyślał — biedna panna Cap nie była tak przyzwyczajona, jak Fille i Rulle, do widoku koszmarnych mumii. Doszedł do wniosku, że teraz jest pora, żeby wyjść spod łóżka. I tak, i tak odkryją go, a poza tym trzeba, żeby mu ktoś pomógł w rozgrywce z Fillem i Rullem. Muszą opuścić szafę, nawet jeśliby przez to zostały zaprzepaszczone wszystkie tajemnice świata.

Więc Braciszek wyczołgał się spod łóżka.

— Proszę się nie bać — powiedział ze strachem. — Mamuchna nie jest niebezpieczna, ale, co gorsza, w szafie jest dwóch złodziei.

Panna Cap była nadal mocno spłoszona po spotkaniu z Mamuchną. Trzymała się za serce i ciężko oddychała, lecz gdy Braciszek powiedział o złodziejach w szafie, prawie się rozzłościła.

— Co też ty pleciesz! Złodzieje w szafie, nie gadaj głupstw!

Ale na wszelki wypadek podeszła do szafy i zawołała:

– Jest tam kto?

A ponieważ nie było odpowiedzi, więc wpadła w jeszcze większą złość.

– Odpowiadajcie! Jest tam kto? Jeżeli was tam nie ma, to moglibyście przynajmniej odpowiedzieć!

Lecz gdy usłyszała nagle lekki hałas w szafie, zrozumiała, że Braciszek mówi prawdę.

– Ach, mój ty dzielny chłopcze! – zawołała. – I ty, taki mały, zamknąłeś w szafie dwóch wielkich, silnych złodziei, ach, jaki jesteś dzielny!

W tym momencie coś zaszurgotało pod łóżkiem i wyczołgał się spod niego Karlsson.

– Nie myśl, że on jest taki dzielny – powiedział – bo to ja ich zamknąłem!

Gniewnie rzucał okiem z ukosa raz na pannę Cap, raz na Braciszka.

– I przyjmij do wiadomości, że właśnie ja jestem dzielny i dobry pod każdym względem – powiedział. – A w dodatku niezwykle mądry i równie piękny, wcale nie żaden gruby łobuz, i basta!

Zobaczywszy Karlssona, panna Cap dostała szału.

– Ty... ty...! – wrzasnęła, ale zaraz dotarło do niej, że to nie jest odpowiednie miejsce ani właściwy czas, żeby mu nawymyślać za placki. Teraz należało zastanowić się nad ważniejszymi sprawami. Zwróciła się do Braciszka: – Leć natychmiast do wuja Juliusa i zbudź go, trzeba zadzwonić po policję... Ojej, ale w takim razie muszę włożyć szlafrok – stwierdziła, patrząc z przerażeniem na nocną koszulę. I wybiegła. Braciszek też wybiegł. Ale najpierw wyrwał zęby z Mamuchny. Wuj będzie ich teraz bardziej potrzebował.

W sypialni huczało Grrr-pi-pi-pi na całego. Wuj Julius spał jak niewinne dziecko.

Pomału zaczynało świtać. W bladym brzasku Braciszek zobaczył, że szklanka z wodą stoi jak zwykle na stoliku nocnym. Z lekkim pluskiem wrzucił do niej zęby. Obok leżały okulary wuja i torebka z cukierkami Karlssona. Braciszek wziął torebkę i wsunął ją do kieszeni piżamy, żeby oddać Karlssonowi. Lepiej, żeby wuj nie zauważył torebki i nie zastanawiał się, skąd się tu wzięła.

Braciszkowi wydawało się, że na nocnym stoliku leżały zwykle jeszcze inne rzeczy: zegarek wuja i portfel. Teraz ich tam nie było. Ale to nie jego zmartwienie, miał tylko obudzić wuja.

Wuj Julius obudził się natychmiast.

— Co się znowu dzieje?

Szybko wyłowił swoje zęby i włożył je jak należy do ust, a potem powiedział:

— Doprawdy, wyjadę niebawem do siebie, do Västergotlandii, ponieważ tak jak się tu spędza noce... no i potem będę spał szesnaście godzin jednym ciągiem, tak właśnie będzie!

Braciszkowi przemknęło przez myśl, że wujowi trudno by było wypowiedzieć takie długie zdanie bez zębów. Zaraz jednak zaczął mu wyjaśniać, dlaczego musi przyjść, i to natychmiast.

Więc wuj Julius poczłapał tak szybko, jak tylko mógł, a Braciszek za nim. Panna Cap też przybiegła i wszyscy równocześnie wpadli do pokoju Braciszka.

— Ach, drogi panie Jansson, złodzieje! Że też coś takiego się zdarzyło! — wykrzyknęła panna Cap.

Braciszek od razu zauważył, że Karlssona nie ma w pokoju. Okno było otwarte. Widocznie pofrunął do siebie. Ach, jak dobrze, całe szczęście! W takim razie nie zobaczą go ani Fille i Rulle, ani też policja – to zbyt piękne, żeby mogło być prawdziwe!

– Są w szafie – powiedziała panna Cap, przerażona i równocześnie zadowolona. Lecz wuj Julius pokazał na gruby tłumok w łóżku Braciszka i rzekł:

– Czy nie lepiej, żebyśmy najpierw obudzili Braciszka?

– Potem spojrzał ze zdziwieniem na Braciszka, który stał przy nim, i powiedział: – Choć co prawda on już nie śpi, jak widzę, ale kto w takim razie leży w łóżku?

Panną Cap wstrząsnął dreszcz. Wiedziała przecież, co leży w łóżku. Coś znacznie bardziej odrażającego niż nawet złodzieje.

– Och, straszna rzecz – odparła. – Pewnie prosto ze świata baśni.

Wtedy oczy wuja nabrały blasku. Tych rzeczy on się nie bał, o nie! Poklepał pękaty tłumok leżący pod kocem.

– Coś grubego i strasznego ze świata baśni? W takim razie muszę to zobaczyć, zanim się wezmę do jakichś tam złodziei.

Szybkim ruchem zerwał narzutę.

– Hi, hi – odezwał się Karlsson i zachwycony usiadł w łóżku. – Wyobraź sobie, że tym razem nie ma tu nikogo ze świata baśni, wyobraź sobie, że jestem tylko mały ja. Ale się oszukałeś!

Rozgoryczona panna Cap patrzyła ze zdziwieniem na Karlssona. Wuj Julius wydawał się bardzo zawiedziony.

– Ten malec jest u was także w nocy? – zapytał.

— Tak, ale ukręcę mu kark, gdy tylko znajdę chwilę
— odpowiedziała. Zaraz jednak złapała niespokojnie wuja
za ramię. — Drogi panie Jansson, musimy zadzwonić po
policję!

W tym momencie zdarzyło się coś niespodziewanego.
W szafie odezwał się stanowczy głos:

— W imię prawa otwierać! Tu policja!

Panna Cap, wuj Julius i Braciszek szalenie się zdziwili,
natomiast Karlsson wpadł w złość.

— Policja... Bujać to my, ale nie nas, cwaniaki za dychę!

Ale wtedy odezwał się w szafie Fille i powiedział, że są
surowe kary za zamknięcie policji, która przyszła złapać
niebezpiecznego szpiega.

„No tak, to dopiero chytrze wykombinowali" – pomyślał Braciszek.

– I teraz bądźcie łaskawi otworzyć! – krzyknął Fille. Wuj Julius grzecznie podszedł i otworzył szafę. Wyszli z niej Fille i Rulle tacy wściekli i tak podobni do policjantów, że wuj i panna Cap naprawdę się wystraszyli.

– Co to za policja? – odezwał się wuj niepewnie. – Bez mundurów?

– Bez, ponieważ jesteśmy z policji tajnej – odpowiedział Rulle.

– I przyszliśmy, żeby go złapać, tego tu – Fille wskazał na Karlssona. – On jest bardzo niebezpiecznym szpiegiem.

Na te słowa panna Cap parsknęła swoim najbardziej przerażającym śmiechem.

– Szpieg! On? No nie, wiecie co! To przecież wstrętny kolega Braciszka z klasy.

Karlsson wyskoczył z łóżka.

– I w dodatku najlepszy w klasie – dodał z zapałem. Tak, bo umiem machać uszami... no i oczywiście umiem dodawać.

Jednak Fille nie uwierzył mu. Trzymając kajdanki w pogotowiu i wygrażając nimi, podszedł do Karlssona. Gdy już był tuż-tuż, Karlsson kopnął go z całej siły w goleń. Fille puścił wiązankę przekleństw i zaczął skakać na jednej nodze.

– Będziesz przynajmniej miał solidnego sińca – powiedział zadowolony Karlsson, a Braciszek pomyślał, że złodziejom sińce na pewno często się zdarzają. Jedno oko Fillego było prawie całkiem zapuchnięte i granatowe.

„Dobrze mu tak – pomyślał Braciszek – skoro przyszedł tu, żeby porwać mojego własnego Karlssona i sprzedać go za dziesięć tysięcy koron". Paskudni złodzieje, Braciszek życzył im wszystkich sińców świata.

– Oni nie są policjantami, kłamią – odezwał się. – Są złodziejami, już ja to wiem.

Wuj Julius myślał, drapiąc się w kark.

– Możemy to zbadać – powiedział.

Zaproponował, żeby usiedli wszyscy razem w salonie i tam ustalili, czy Fille i Rulle są złodziejami, czy nie. Tymczasem zrobiło się prawie jasno. Na niebie za oknem gwiazdy zbladły, obudził się nowy dzień, a Braciszek niczego bardziej nie pragnął, jak móc się położyć, zamiast tu siedzieć i słuchać kłamstw Fillego i Rullego.

– Naprawdę nie czytaliście w gazecie, że nad Vasastan lata szpieg? – zapytał Rulle, wyciągając z kieszeni wycinek z gazety.

Wuj Julius przybrał wyniosły wyraz twarzy.

– Nie należy wierzyć w byle głupstwa, które piszą gazety – rzekł. – Chociaż mogę, oczywiście, jeszcze raz to przeczytać. Zaczekajcie, pójdę po okulary.

Zniknął w sypialni, ale szybko wrócił, bardzo zły.

– No tak, ładni z was policjanci! – krzyknął. – Świsnęliście mi portfel i zegarek, proszę natychmiast je oddać.

Na te słowa Fille i Rulle też się strasznie rozzłościli.

– Oskarżanie policji o kradzież portfeli i zegarków grozi poważnymi kłopotami – powiedział Rulle.

– To się nazywa oszczerstwo, nie wiecie? – dodał Fille. – Nie wiecie? Za oszczerstwa rzucane na policję można trafić do więzienia!

Karlssonowi coś widocznie przyszło na myśl, bo nagle zaczęło mu się strasznie śpieszyć. Wybiegł pędem z pokoju, dokładnie tak jak wuj Julius, i wrócił równie szybko jak on, sycząc ze złości.

— A moja torebka z cukierkami! — krzyczał. — Kto ją sobie wziął?

Fille podszedł do niego z groźną miną.

— Obwiniasz nas, co?

— O nie, nie jestem wariatem — odparł Karlsson. — Wystrzegam się oszczerstw. Uprzedzam jednak, że jeżeli ten, kto wziął torebkę, natychmiast jej nie odda, to mu drugie oko też zsinieje.

Braciszek pośpiesznie wyciągnął torebkę z kieszeni.

— Tu jest — powiedział, oddając ją Karlssonowi. — Schowałem ją dla ciebie.

Wtedy Fille zaśmiał się szyderczo.

— O, właśnie, widzicie sami! A wy uważacie, że można nas o wszystko obwiniać.

Panna Cap siedziała dotąd cicho, teraz jednak chciała wtrącić swoje trzy grosze:

— Dobrze wiem, kto zwędził zegarek i portfel. On nic innego nie robi, tylko kradnie bułki i placki, i co tylko mu wpadnie pod rękę.

Wskazała na Karlssona. A Karlsson dostał furii.

— Coś podobnego! To jest oszczerstwo, możesz mieć poważne kłopoty, nie wiesz o tym, głupia?

Ale panna Cap nie zawracała nim sobie dalej głowy, chciała teraz poważnie porozmawiać z wujem Juliusem. Jej zdaniem jest możliwe, że ci panowie są z tajnej policji, bo wyglądają całkiem sympatycznie, są elegancko ubrani i tak dalej. A złodzieje, według niej, mają przeważnie podarte, łatane ubrania. Tak uważała, choć nigdy nie widziała włamywacza.

Słysząc to, Fille i Rulle ogromnie się ucieszyli. Fille powiedział, że od początku zdawał sobie sprawę, jaką mądrą i wspaniałą osobą jest ta pani, i że cieszy go wprost niezmiernie, że miał sposobność ją poznać. Zwrócił się przy tym do wuja Juliusa, żeby znaleźć u niego potwierdzenie swych słów.

– Ona jest przemiła, nie uważa pan?

Wuj Julius chyba nigdy dotąd nie zastanawiał się nad tym, ale teraz został zmuszony zgodzić się z tą oceną.

Słysząc to, panna Cap spuściła oczy i zrobiła się całkiem czerwona.

– Tak, miła jak grzechotnik – zamruczał Karlsson w rogu pokoju. Siedział obok Braciszka i jadł cukierki, głośno je chrupiąc, a gdy nic już w torebce nie zostało, zerwał się i zaczął skakać po pokoju. Wydawało się, że robi to dla zabawy, ale on, skacząc, przybliżał się powoli do krzeseł, na których siedzieli Fille i Rulle. Aż wreszcie stanął tuż za ich plecami.

– Chciałoby się częściej spotykać taką przemiłą istotę – powiedział Fille, na co panna Cap zrobiła się jeszcze bardziej czerwona i znowu spuściła oczy.

– No dobra, dobra, niech sobie będą rozkoszne osoby i tak dalej – odezwał się zniecierpliwiony wuj Julius – ale ja chciałbym się teraz dowiedzieć, gdzie się podziały mój zegarek i mój portfel!

Fille i Rulle jakby nie usłyszeli tego, co powiedział. Fille był zresztą tak zachwycony panną Cap, że nic innego go nie obchodziło.

– I przyjemnie wygląda, nie uważasz, Rulle? – szepnął cicho, ale na tyle wyraźnie, żeby ona usłyszała. – Piękne oczy... i taki rozkoszny, powabny nosek, a poza tym można zawsze na nią liczyć, nie uważasz, Rulle?

Panna Cap aż podskoczyła i szeroko otworzyła oczy.
– Że co! – krzyknęła. – Co pan powiedział?

Fille prawie zaniemówił.

– Ja, ja tylko chciałem... – zaczął, ale ona nie dała mu dokończyć.

– Aha, więc pan jest Filipem, jak się domyślam – powiedziała i zaśmiała się niemal równie okropnie, zdaniem Braciszka, jak Mamuchna.

Fille zdziwił się.

– Skąd pani wie? Słyszała pani o mnie?

Panna Cap kiwnęła oschle głową.

– Czy słyszałam! Mój ty Boże, tak! A to jest wobec tego Rudolf – rzekła, wskazując na Rullego.

– Zgadza się, ale skąd pani o tym wie? Macie wspólnego znajomego? – dziwił się Fille, wydając się ogromnie zadowolony i pełen radosnego oczekiwania.

Panna Cap znów przytaknęła równie oschle:

– Jasne, że tak! Panna Frida Cap z Frejgatan jest chyba moją znajomą, co? I ona ma powabny nosek, dokładnie jak ja, i w ogóle można na nią zawsze liczyć, no nie?

– Tylko że twój nos nie jest żadnym rozkosznym kartofelkiem, a raczej ogórkiem z naroślami – wtrącił Karlsson.

Fille najwyraźniej nie był zainteresowany nosami, bo zrezygnował z przybierania zadowolonej miny. Wydawało się natomiast, że najchętniej by stąd uciekł, i że Rulle też o tym marzy. Tymczasem za nimi stał Karlsson. I nagle gruchnął strzał, a Fille i Rulle wysoko podskoczyli z przerażenia.

– Nie strzelaj! – krzyknął Fille, bo poczuł na plecach wskazujący palec Karlssona i myślał, że to pistolet.

— Dawaj portfel i zegarek! — wrzasnął Karlsson. — Bo jak nie, to strzelam.

Fille i Rulle szukali nerwowo po kieszeniach i po chwili portfel i zegarek wylądowały prosto na kolanach wuja Juliusa.

— Masz, grubasie! — krzyknął Fille, po czym obaj z Rullem rzucili się błyskawicznie do drzwi i nikt nie potrafił już ich zatrzymać.

Ale panna Cap puściła się za nimi. Goniła ich przez przedpokój i dalej na klatce schodowej, krzycząc na nich, kiedy zbiegali pędem ze schodów.

— Frida dowie się o tym, ale się ucieszy! — Wykonała kilka susów, jakby zamierzając gonić ich jeszcze po schodach, i znowu krzyknęła: — Żeby twoja noga więcej nie postała na Frejgatan, bo jak cię zobaczę, to się krew poleje! Słyszysz, co mówię... kr-e-e-ew!

Karlsson otwiera
przed wujem Juliusem świat baśni

Po nocy spędzonej z Fillem i Rullem Karlsson stał się jeszcze bardziej zarozumiały niż zwykle.

— Oto jest najlepszy na świecie Karlsson! — Ten okrzyk budził codziennie Braciszka, kiedy Karlsson wlatywał do pokoju. Każdego ranka zaczynał od wygrzebywania pestki brzoskwiniowej, żeby zobaczyć, ile wyrosła, a potem regularnie udawał się do antycznego lustra wiszącego nad biurkiem Braciszka. Lustro było nieduże i Karlsson długo fruwał przed nim tam i z powrotem, żeby jak najwięcej siebie zobaczyć. Bo cały nie mieścił się w lustrze.

Fruwając, nucił i śpiewał, a była to piosenka własnej kompozycji, wychwalająca jego samego.

— Najlepszy na świecie Karlsson... hm-ti-ti-hm...wart dziesięć tysięcy koron... płoszy złodziei bistoletem... jakie niedobre lustro... niewiele w nim widać... najlepszego na świecie Karlssona... ale to, co widać, jest piękne... hm-ti-ti-hm... i w miarę tęgie tak, tak, i dobre pod każdym względem.

Braciszek zgadzał się z tym. Uważał, że Karlsson jest dobry pod każdym względem. A najdziwniejsze, że wuj Julius był nim bardzo zachwycony. Bo, prawdę mówiąc, Karlsson, a nie kto inny, uratował jego portfel i zegarek. Takich rzeczy wuj łatwo nie zapominał. Natomiast panna Cap w dalszym ciągu była zła na Karlssona, ale on wcale się tym nie przejmował, byle tylko dawała mu jeść o określonych godzinach, a to robiła.

— Jak nie dostanę jedzenia, to się nie będę bawił — zapowiedział jasno.

Panna Cap niczego na świecie bardziej nie pragnęła, jak tego, żeby Karlsson się nie bawił, ale niestety Braciszek i wuj Julius trzymali jego stronę. Panna Cap warczała za każdym razem, kiedy Karlsson wpadał i sadowił się przy stole dokładnie w chwili, gdy mieli zacząć jeść, ale nic na to nie mogła poradzić. Karlsson siedział, gdzie siedział, i nikt tego nie mógł zmienić. Wprowadził ten zwyczaj jako coś zupełnie oczywistego po nocy spędzonej z Fillem i Rullem. Uważał, że takiemu bohaterowi jak on nawet najbardziej rozzłoszczona gospodyni niczego nie może odmówić.

Karlssona musiały trochę zmęczyć te badania nad chrapaniem, skradanie się, pełzanie i strzelanie, które odbyły się tej nocy, bo następnego dnia przyfrunął do pokoju Braciszka dopiero przed kolacją. Przystanął, żeby wywęszyć, czy z kuchni dochodzą jakieś obiecujące zapachy.

Braciszek też długo spał, budząc się i znów zasypiając po kilka razy — z Bimbem obok siebie w łóżku. Był naprawdę śpiący po nocnych zajściach ze złodziejami i kiedy Karlsson się zjawił, właśnie dopiero co otworzył oczy. Obudził go niecodzienny i przykry hałas dochodzący z kuchni. To panna Cap śpiewała na całe gardło. Braciszek nigdy przedtem nie słyszał jej śpiewu i miał wielką nadzieję, że wnet przestanie, bo nie brzmiało to ładnie. Z jakiegoś niewiadomego powodu była właśnie dziś w nadzwyczaj dobrym humorze. Przed południem odwiedziła na chwilę Fridę na Frejgatan, i być może tam nabrała tyle energii, bo śpiewała tak, że aż uszy bolały.

— Ach, Frido, najlepsze by dla ciebie było — wydzierała się, ale nikt się nie dowiedział, co byłoby dla Fridy najlepsze, bo Karlsson wpadł do kuchni i krzyknął:

— Dość! Dość! Ludzie gotowi pomyśleć, że cię biję, jak się tak drzesz!

Panna Cap zamilkła i z ponuro-kwaśną miną podała gulasz. Przyszedł wuj Julius, wszyscy zasiedli razem do stołu i jedli, rozmawiając o strasznych zdarzeniach minionej nocy, i było im, zdaniem Braciszka, bardzo przyjemnie. Karlsson był zadowolony z posiłku i chwalił pannę Cap.

— Czasem udaje ci się przez pomyłkę zrobić naprawdę dobry gulasz — powiedział zachęcająco.

Panna Cap nie odpowiedziała. Przełknęła tylko parę razy ślinę i zacisnęła usta.

Karlssonowi smakowały też małe porcje budyniu czekoladowego, który podała na deser. Połknął od razu cały jeden, zanim Braciszek zdążył zjeść łyżkę ze swojego, a potem powiedział:

— Owszem, dobry taki budyń, ale ja znam coś, co jest dwa razy lepsze!

— Co takiego? — spytał Braciszek.

— Dwa budynie — odparł Karlsson i porwał jeszcze jedną porcję.

Znaczyło to, że panna Cap została bez budyniu, bo zrobiła je tylko cztery. Karlsson zauważył jej niezadowoloną minę i podniósł ostrzegawczo wskazujący palec.

— Pamiętaj, że siedzą przy tym stole pewne grubasy, które powinny schudnąć! Dokładnie mówiąc, jest ich dwoje. Nie wymienię żadnych imion, ale to nie ja i nie ten wróbelek — powiedział, wskazując na Braciszka.

Panna Cap jeszcze mocniej zacisnęła usta. Braciszek spojrzał ze strachem na wuja Juliusa, ale on widocznie nic nie usłyszał. Siedział i utyskiwał na opieszałość policji w Sztokholmie. Zadzwonił do nich, zgłaszając włamanie, ale mógł równie dobrze tego nie robić, bo powiedzieli mu, że mają trzysta piętnaście innych kradzieży, z którymi muszą się wpierw uporać, a poza tym chcieli wiedzieć, jak dużo rzeczy skradziono.

– Ale ja ich poinformowałem – mówił wuj – że dzięki dzielnemu i pomysłowemu chłopczykowi złodzieje musieli wrócić do domu i pójść spać z niczym. Popatrzył z uznaniem na Karlssona. Karlsson napuszył się jak kogut i triumfalnie trącił pannę Cap.

– I co ty na to? Najlepszy na świecie Karlsson wypłasza złodziei bistoletem – powiedział.

Wuj Julius też się bał tego pistoletu. Był, rzecz jasna, zadowolony i wdzięczny za odzyskany portfel i zegarek, niemniej uważał, że mali chłopcy nie powinni nosić przy sobie broni palnej. I kiedy Fille i Rulle takim pędem zbiegali ze schodów, Braciszek musiał dłuższą chwilę tłumaczyć mu, że ten pistolet to tylko zabawka.

Po kolacji wuj Julius poszedł do salonu, żeby zapalić cygaro. Panna Cap zmywała i nawet Karlsson, jak widać, nie zdołał popsuć na dłużej jej humoru, bo znów zaczęła nucić te swoje: „Ach, Frido, najlepiej by dla ciebie było...". Nagle spostrzegła, że nie ma ani jednej ścierki, i znowu wpadła w złość.

– Czy ktokolwiek może wie, gdzie się podziały wszystkie ścierki? – zapytała, rozglądając się oskarżycielskim wzrokiem po kuchni.

– Owszem, ktoś wie, mianowicie najlepszy na świecie znalazca ścierek – odpowiedział Karlsson. – A może byś tak stale go pytała, kiedy czegoś nie wiesz, ty mała głuptasko?!

Karlsson poszedł do pokoju Braciszka i wrócił z taką masą ścierek w objęciach, że go zza nich nie było widać. Wszystkie były niesłychanie brudne i zakurzone, i pannę Cap ogarnął jeszcze większy gniew.

– Co się z tymi ścierkami stało? – krzyknęła.

– Zostały wypożyczone do świata baśni – odpowiedział Karlsson. – A poza tym pod łóżkami nigdy nie jest zamiecione, ot co!

I tak mijały dnie. Przychodziły kartki od mamy i taty. Było im wspaniale w rejsie i mieli nadzieję, że Braciszek też miło spędza czas i że wuj Julius ma się dobrze i wystarcza mu towarzystwo tylko Braciszka i panny Cap. Nie pisali nic o Karlssonie z Dachu i to niesłychanie Karlssona drażniło.

— Posłałbym im kartkę, gdybym tylko miał pięć öre na znaczek — powiedział. — I napisałbym tak: „Słusznie, niech was nie obchodzi, czy Karlsson ma się dobrze i jest zadowolony z przebywania z panną Cap, nie zawracajcie sobie tym głowy, choć to on o wszystko się troszczy i wypłasza złodziei bistoletem, i znajduje wszystkie ścierki, które gdzieś przepadły, i trzyma w ryzach pannę Cap, i w ogóle wszystko".

Braciszek cieszył się, że Karlsson nie ma pięciu öre, bo uważał, że nie byłoby dobrze, gdyby mama i tata dostali taką kartkę. Swego czasu opróżnił całą swoją skarbonkę i dał Karlssonowi wszystko, co w niej było, ale Karlsson już nic z tego nie miał i teraz był zły.

— To zupełnie bez sensu — powiedział. — Człowiek wart jest dziesięć tysięcy koron, a nie ma nawet pięciu öre na znaczek. Sądzisz, że wuj Julius kupiłby moje duże palce u nóg?

Braciszek sądził, że nie.

— No, ale teraz, kiedy jest tak mną zachwycony — ciągnął Karlsson, ale Braciszek mimo to sądził, że nie. Karlsson, obrażony, pofrunął do siebie i wrócił dopiero w porze następnego posiłku, kiedy Braciszek pociągnął za linkę od dzwonka i zasygnalizował mu: „Przyjdź".

Braciszek doszedł do wniosku, że skoro mama i tata tak piszą, to widocznie niepokoją się, że wuj Julius nie jest zadowolony z obecności panny Cap, ale jego zdaniem mylili się.

Bo wyglądało na to, że wuj bardzo dobrze się czuje w jej towarzystwie. Braciszek zauważył, że z upływem czasu mają sobie coraz więcej do powiedzenia. Często siedzieli razem w salonie i słychać było, jak wuj z ożywieniem mówi o świecie baśni i o wszystkim możliwym, a panna Cap odpowiada tak grzecznie i łagodnie, aż trudno uwierzyć, że to ona. W końcu Karlsson nabrał podejrzeń. Stało się to, gdy panna Cap zaczęła zamykać rozsuwane drzwi między przedpokojem a salonem. Te drzwi istniały, ale nikt w rodzinie Svantessonów ich nie zamykał. Może dlatego, że drzwi miały od wewnątrz mały rygielek i któregoś razu Braciszek, bardzo jeszcze mały, zaryglował się i nie mógł wyjść. Po tej nauczce mama uznała, że zupełnie wystarczy kotara. Lecz któregoś dnia, gdy panna Cap i wuj Julius pili wieczorem kawę w salonie, ni stąd, ni zowąd pannie Cap zachciało się mieć drzwi zamknięte i widocznie wuj też tego sobie życzył, bo gdy Karlsson mimo to wszedł bezceremonialnie do salonu, wuj powiedział, że chłopcy powinni bawić się gdzie indziej i że on chce teraz wypić kawę w ciszy i spokoju.

— Ja też chcę — odparł Karlsson z wyrzutem. — Daj mi zaraz kawę, poczęstuj cygarem i zachowuj się jak człowiek!

Ale wuj wyrzucił go za drzwi, a panna Cap zaśmiała się, ogromnie zadowolona. Widocznie uznała, że nareszcie ma przewagę.

— Tego nie zniosę — oświadczył Karlsson. — Jeszcze im pokażę!

Następnego ranka, kiedy wuj Julius był u lekarza, a panna Cap poszła na targ, żeby kupić śledzie, Karlsson przyfrunął do Braciszka z dużym wiertłem w garści. Braciszek widział je wiszące u niego na ścianie, a teraz zastanawiał się, do czego Karlsson go użyje. Ale w tym właśnie momencie coś stuknęło w szparze na listy i Braciszek skoczył, żeby zobaczyć. Na dywanie w przedpokoju leżały dwie kartki, jedna od Bossego, druga od Bettan. Braciszek ogromnie się ucieszył, długo i dokładnie je czytał, a gdy skończył, Karlsson już był gotów. Przez ten czas wywiercił w rozsuwanych drzwiach spory otwór.

— Ależ, Karlsson — wystraszył się Braciszek — chyba nie wywierciłeś dziury... Dlaczego to zrobiłeś?

— Żeby podpatrzeć, rzecz jasna, czym oni się zajmują — odparł Karlsson.

— A fe, wstydziłbyś się — oburzył się Braciszek. — Mama powiedziała, że w żadnym razie nie wolno zaglądać przez dziurki od klucza.

— Twoja mama jest bardzo mądra — powiedział Karlsson. — Ma zupełną rację. W dziurkach od kluczy mają być klucze, sama nazwa na to wskazuje. Ale to akurat jest judasz. Ty, taki sprytny, wiesz chyba, do czego takie coś służy... No właśnie — dodał, zanim Braciszek zdążył cokolwiek odpowiedzieć.

Wyjął z ust kulkę starej gumy do żucia i zatkał nią dziurę, żeby jej nie było widać.

— Hoj, hoj — rzekł. — Od dawna nie mieliśmy wesołego wieczoru, ale może dziś taki będzie.

Potem pofrunął z wiertłem do siebie.

— Mam kilka spraw do załatwienia — powiedział przed odlotem. — Ale wrócę, jak poczuję zapach śledzi.

— Jakie sprawy? — zapytał Braciszek.

— Jedną małą, krótką sprawę, żebym przynajmniej miał pieniądze na znaczek — rzekł Karlsson i odleciał.

Wrócił jednak, zgodnie z zapowiedzią, gdy tylko zapachniało smażonym śledziem, i przy kolacji był w cudownym humorze. Wyciągnął z kieszeni pięcioörówkę i wcisnął ją pannie Cap do ręki.

— Masz, żebyś się nie martwiła — powiedział. — Kup sobie jakiś wisior na szyję, czy co tam chcesz!

Panna Cap odrzuciła pięcioörówkę.

— Ja ci dam wisior! — odparła. — Tobie by się przydało powisieć!

Ale właśnie w tej chwili wszedł wuj Julius i panna Cap nie chciała na jego oczach wymierzać Karlssonowi sprawiedliwości.

— Że też ona tak się ożywia i robi się dziwna, jak tylko Bajeczny Julek jest w pobliżu — powiedział Karlsson do Braciszka.

Panna Cap i wuj przeszli do salonu, żeby jak zwykle wypić kawę we dwójkę.

— Teraz zobaczymy, do jakiego stopnia potrafią być okropni — rzekł Karlsson. — Zrobię ostatnią próbę, z całą życzliwością, ale potem zacznę tirrytować bez litości, mowy nie będzie o pojednaniu.

Ku zdziwieniu Braciszka wyjął z kieszonki cygaro i zapalił je, a potem zastukał do rozsuwanych drzwi. Nikt nie odpowiedział „proszę", ale Karlsson mimo to wszedł, ochoczo paląc cygaro.

— Przepraszam, tu zapewne jest palarnia — rzekł. — W takim razie można tu wypalić cygaro.

Tym razem wuj Julius naprawdę strasznie się na niego rozgniewał. Wyrwał mu cygaro i przełamał je na pół, mówiąc, że jeżeli raz jeszcze zobaczy go palącego, to mu spuści takie lanie, że popamięta, i nigdy mu już nie będzie wolno bawić się z Braciszkiem, sam tego dopilnuje, powiedział na koniec.

Karlssonowi zaczęła się trząść broda, oczy napełniły się łzami i z gniewem wymierzył wujowi lekkiego kopniaka.

— A było się dla ciebie miłym przez kilka dni, nieprawdaż, głupi? — powiedział, patrząc na wuja z ukosa złym wzrokiem.

Ale wuj wyrzucił go z pokoju, rozsuwane drzwi zostały ponownie zamknięte i w dodatku słychać było, jak wuj je zaryglował. Tego, mimo wszystko, nikt przedtem nie robił.

— Sam widzisz — powiedział Karlsson. — Nie ma rady, muszę zastosować tirrytowanie.

Zaczął walić pięścią w stół i krzyczeć:

— Głupi, popsułeś mi kosztowne cygaro!

Potem wsadził rękę do kieszeni spodni i czymś zabrzęczał, tak jakby pieniędzmi, jakby całą masą pięcioörówek.

— Szczęście, że się jest bogatym — powiedział, a Braciszek zaniepokoił się.

— Skąd masz tyle pieniędzy?

Karlsson mrugnął tajemniczo jednym okiem.

— Dowiesz się jutro — odparł.

Braciszka ogarnął jeszcze większy niepokój, bo co by było, gdyby Karlsson, gdzieś poleciawszy, ukradł komuś pieniądze! Byłby w takim razie nie lepszy od Fillego i Rullego, no tak. A co, jeżeli Karlsson znał się nie tylko na dodawaniu jabłek, strach pomyśleć! Braciszka poważnie to zastanowiło. Nie miał jednak czasu dłużej na ten temat medytować, bo w tym momencie Karlsson cicho i ostrożnie wydłubał z judasza gumę do żucia.

– No dobra – rzekł, przykładając do niego oko. Zaraz jednak cofnął się gwałtownie, tak jakby na widok czegoś potwornego. – To szczyt bezczelności – powiedział.
– Co oni robią? – spytał zaciekawiony Braciszek.
– Sam bym chciał wiedzieć – odparł Karlsson. – Ale przenieśli się, łobuzy!

Wuj Julius i panna Cap zwykle siedzieli na małej kanapce, doskonale widocznej przez dziurkę, i tam też przed chwilą byli, kiedy Karlsson przyszedł z cygarem. A teraz zniknęli. Braciszek mógł sam się o tym przekonać jednym rzutem oka. Widocznie przesiedli się na kanapę koło okna, a to należało uznać za strasznie podstępne i chytre z ich strony, powiedział Karlsson. Ludzie z odrobiną przyzwoitości siedzą zawsze tak, żeby ich było widać przez dziurkę od klucza i przez judasza, stwierdził.

Biedny Karlsson osunął się ciężko na krzesło w przedpokoju i niepocieszony patrzył tępym wzrokiem przed siebie. Po raz pierwszy poddał się. Cały jego świetny pomysł z judaszem okazał się kompletnie nieużyteczny, trudno było się z tym pogodzić...

— Chodź — odezwał się wreszcie. — Pójdziemy poszukać u ciebie, może masz w twojej rupieciarni coś, co by się nadawało do tirrytowania.

Długo grzebał w szufladach i szafkach Braciszka, nie znajdując niczego odpowiedniego. Lecz nagle zagwizdał i wyciągnął długą szklaną rurkę, używaną przez Braciszka do dmuchania grochem.

— To pasuje jak ulał — ucieszył się. — Żebym tylko znalazł jeszcze coś!

I znalazł to coś, znakomite, a mianowicie gumowy balonik, taki, co staje się dużym balonem, jak się go nadmucha.

— Hoj, hoj! Hoj, hoj — powiedział, a jego małe, grube rączki drżały z podniecenia, kiedy mocno przywiązywał balonik sznurkiem do wylotu szklanej rurki. Następnie przyłożył usta do drugiego końca rurki i nadmuchał balon. Zarechotał z zachwytu, widząc brzydką twarz wydrukowaną czarno na żółtym balonie, coraz bardziej pęczniejącą, w miarę jak dmuchał.

— To chyba przedstawia twarz księżyca — zastanawiał się Braciszek.

— Niech sobie przedstawia, kogo chce — odparł Karlsson i wypuścił powietrze z balonu. — Najważniejsze, że nadaje się do tirrytowania.

No i udało się znakomicie. Naprawdę świetnie, choć Braciszek tak chichotał, że o mało wszystkiego nie popsuł.

– Hoj, hoj – powiedział Karlsson i ostrożnie wsunął przez judasza szklaną rurkę z małym, zwiotczałym balonikiem. Potem z całej siły dmuchnął w rurkę, a Braciszek stał obok i chichotał. Ach, jak bardzo chciałby siedzieć teraz w pokoju na kanapie, razem z panną Cap i wujem Juliusem, i widzieć, jak nagle wielka księżycowa twarz pęcznieje w całej swojej okazałości, nie na niebie, gdzie powinna się znajdować, lecz gdzieś w cieniu przy drzwiach. W lecie nigdy nie robiło się całkiem ciemno*, ale w salonie panował wystarczający półmrok, żeby taki zabłąkany księżyc wyglądał tajemniczo i odpychająco, Braciszek nie miał co do tego wątpliwości.

* W Szwecji występują latem „białe noce". Zjawisko to polega na tym, że słońce przez całą dobę nie chowa się za horyzontem.

– Muszę zacharczeć jak upiór – powiedział Karlsson.

– Teraz ty dmuchaj, żeby powietrze nie uszło.

Braciszek przyłożył usta do szklanej rurki i posłusznie dmuchał, a Karlsson zaczął charczeć jak upiór, w najokropniejszy sposób. I wtedy ci w salonie podskoczyli i nareszcie zauważyli księżycową twarz. A potem ktoś krzyknął. Karlsson tylko na to czekał.

– A krzyczcie sobie, krzyczcie – powiedział zachwycony, ale zaraz dodał szeptem: – Teraz musimy się śpieszyć.

Wypuścił powietrze z balonu i usłyszeli ciche syczenie, kiedy księżycowa twarz kurczyła się po drugiej stronie drzwi, robiąc się znów zwiotczałym balonikiem. Karlsson prędko wyciągnął go przez dziurę, potem równie prędko wcisnął do judasza nową kulkę gumy do żucia, a sam, szybko jak jeż, schował się pod stołem w przedpokoju, w ich kryjówce. Braciszek zrobił to samo, tak szybko, jak tylko mógł.

W następnej sekundzie usłyszeli odsuwanie rygla, otwieranie drzwi – i panna Cap wystawiła głowę.

– To chyba były dzieci – powiedziała.

Ale za nią stał wuj Julius, który bardzo energicznie zaprotestował:

– Ile razy muszę ci powtarzać, że cały świat baśni pełen jest duszków i tylko one mogą przeniknąć przez zamknięte drzwi, nie rozumiesz tego?

Na te słowa panna Cap zmiękła i odpowiedziała, że oczywiście rozumie, po bliższym zastanowieniu. Najwyraźniej jednak nie chciała dopuścić do tego, by jakieś duszki ze świata baśni psuły jej kawę z wujem Juliusem, bo zaraz namówiła go, żeby wrócił na kanapę. Karlsson z Braciszkiem zostali w przedpokoju z drzwiami zamkniętymi przed nosem.

„Mogło być zabawniej" – myślał Braciszek. Karlsson myślał to samo. Tak, Karlsson też tak myślał! Wtem zadzwonił telefon. Braciszek odebrał. Jakiś kobiecy głos chciał mówić z panną Cap. Braciszek domyślił się, że to Frida z Frejgatan, i aż wstyd, jak się ucieszył! Mógł teraz przeszkadzać pannie Cap, ile tylko chciał, i choć był grzecznym chłopcem, zupełnie nie miał nic przeciwko temu.

– Telefon do pani! – krzyknął i mocno zastukał w rozsuwane drzwi.

Nic to jednak nie dało.

– Powiedz, że jestem zajęta! – odkrzyknęła panna Cap. Żadne duszki ani żadne Fridy nie przeszkodzą jej w piciu kawy z wujem Juliusem! Braciszek wrócił do telefonu i powiedział o tym Fridzie, ale ona chciała się koniecznie dowiedzieć, dlaczego jej siostra jest tak zajęta i kiedy ma znowu zadzwonić, i tak dalej, i tak dalej.

Wreszcie Braciszek powiedział:

– Najlepiej zapytać o to ją samą, jutro rano!

Położył słuchawkę i rozejrzał się za Karlssonem. Ale Karlsson znikł. Braciszek zaczął go szukać i znalazł go w kuchni. Dokładniej mówiąc w otwartym oknie. Na parapecie okiennym, okrakiem na najlepszej szczotce mamy, stało gotowe do lotu coś, co musiało być Karlssonem, choć wyglądało jak mała wiedźma albo Baba-Jaga, całkiem czarna na twarzy, z chustką na głowie i kwiecistą peleryną na ramionach. Braciszek poznał starą narzutkę babci, którą zostawiła w szafie podczas ostatnich odwiedzin.

– Ależ, Karlsson – powiedział zaniepokojony. – Nie możesz tak lecieć, wuj Julius mógłby cię znów zobaczyć.

– Nie ma Karlssona – odparł Karlsson, tłumiąc głos.

– To strzyga, dzika i przerażająca!

– Strzyga – powtórzył Braciszek. – Co to takiego? Czy to wiedźma?

– Tak, ale gorsza – odparł Karlsson. – Strzygi są znacznie bardziej agresywne, a jak się je podrażni, atakują ludzi bez namysłu!

– No ale... – zająknął się Braciszek.

– Są najbardziej niebezpieczne ze wszystkich postaci baśniowych – zapewnił go Karlsson. – A ja znam takich jednych, którym się strzyga da dobrze we znaki!

I wyfrunął w niebieski, czarowny, czerwcowy zmierzch.

Braciszek stał w oknie, nie wiedząc, co robić, ale po chwili już wiedział. Pobiegł do pokoju Bossego. Stamtąd zobaczy frunącą strzygę równie dobrze jak wuj Julius i panna Cap z salonu.

Powietrze w pokoju było trochę ciężkie, więc otworzył okno. Wyjrzał na zewnątrz i stwierdził, że okno w salonie też jest otwarte – na spotkanie z letnią nocą i światem baśni! Wuj Julius i panna Cap siedzieli w salonie i wcale nie wiedzieli, że istnieją strzygi. „Biedni ludzie" – pomyślał Braciszek. Byli bardzo blisko, słyszał ich rozmowę jakby jakieś mruczenie, co za szkoda, że nie może ich również widzieć!

Zobaczył natomiast strzygę. Gdyby nie wiedział, że to tylko Karlsson, krew by mu zastygła w żyłach, tego był pewien. Bo widok lecącej strzygi był naprawdę niesamowity. Braciszek pomyślał, że mógłby prawie zacząć sam wierzyć w świat baśni.

Przeleciała kilka razy przed oknem salonu, zaglądając do środka. To, co tam zobaczyła, musiało ją widocznie zdzi-

wić i wręcz zgorszyć, bo co chwila potrząsała głową. Nie zauważyła jeszcze Braciszka w oknie obok, a on nie miał odwagi zawołać. Ale zamachał z zapałem i wtedy strzyga dostrzegła go i też mu zamachała, a jej czarna twarz rozjaśniła się szerokim uśmiechem.

„Wuj Julius i panna Cap widocznie nie zauważyli jej" — pomyślał Braciszek, bo dalej spokojnie rozmawiali. Lecz potem stało się... W ciszę i spokój letniego wieczoru wdarł się nagle krzyk. To ona krzyczała, ojej, jak okropnie... Krzyczała jak... no tak, prawdopodobnie jak strzyga, bo jej krzyk nie przypominał niczego, co by Braciszek kiedykolwiek w życiu słyszał, i brzmiał tak, jakby przeniesiony prosto ze świata baśni.

Z salonu nie docierały już żadne odgłosy, zrobiło się całkiem cicho.

Teraz strzyga szybko przyfrunęła do Braciszka, błyskawicznie zerwała z siebie chustkę i narzutkę, wytarła czarną od sadzy twarz w firankę, po czym nie było jej już, był tylko Karlsson, który pośpiesznie wrzucał szczotkę i cały strój pod łóżko Bossego.

— Coś podobnego! — powiedział, podskakując gniewnie w stronę Braciszka. — To powinno być zabronione prawem, żeby starzy ludzie zachowywali się w ten sposób.

— Jak? Co robili? — zapytał Braciszek.

Karlsson potrząsał gniewnie głową.

— On ją trzymał za rękę! Siedział i trzymał ją za rękę! Ją, tego Capa Domowego. Co mi za to dasz?

Wbił wzrok w Braciszka, jakby się spodziewając, że ten padnie zemdlony ze zdziwienia, gdy jednak nic takiego nie nastąpiło, wrzasnął:

— Nie słyszysz, co mówię?! Siedzieli, trzymając się za ręce! Do jakiego właściwie stopnia ludzie mogą zgłupieć?

Karlsson staje się
największym bogaczem na świecie

Braciszek nigdy nie zapomni następnego dnia. Obudził się wcześnie i całkiem sam. Nie zbudziło go żadne wołanie najlepszego na świecie Karlssona. „Dziwne" – pomyślał, po czym szybko podreptał do przedpokoju po gazetę. Chciał spokojnie przeczytać komiksy, zanim przyjdzie wuj Julius i też będzie chciał przejrzeć gazetę. Tego jednak dnia nie udało mu się czytanie komiksów. Biedny Braciszek nie doszedł dalej jak do pierwszej strony, bo uderzyła go w oczy ogromna rubryka, na której widok oblał go zimny pot. Było napisane tak:

TAJEMNICA WYJAŚNIONA
– SZPIEGA NIE BYŁO

Pod spodem widniało zdjęcie mostu Västerbron i przelatującego nad nim – nie, nie było żadnej wątpliwości – tak, przelatującego nad mostem Karlssona. Było też zdjęcie z bliska, na którym Karlsson z drwiącym uśmiechem pokazuje swoje składane śmigło i guzik startera, ten, który ma na brzuchu. Braciszek czytał i równocześnie płakał.

Wczoraj doszło w redakcji do niecodziennych odwiedzin. Piękny, niezwykle mądry i w miarę tęgi mężczyzna w sile wieku – według jego własnego opisu – przyszedł do nas, żądając nagrody w wysokości 10 tysięcy koron. To on, jak nas zapewnił, a nie kto inny, jest ową latającą zagadką w Vasastan, ale powiedział, że nie jest żadnym szpiegiem, i my mu wierzymy. „Szpieguję tylko takich jak Cap Domowy i Bajeczny Julek", zapewnił. Brzmiało to bardzo dziecinnie i niewinnie i w naszym mniemaniu ten „szpieg" jest po prostu wyjątkowo grubym uczniem szkoły podstawowej – najlepszym w klasie – jak sam twierdzi. Ale to dziecko ma coś, czego każde inne musi mu zazdrościć, a mianowicie mały motorek, który umożliwia fruwanie, jak zresztą widać na zdjęciu. Motorek wykonał najlepszy na świecie wynalazca, twierdzi chłopiec, ale odmówił podania bliższych szczegółów. Zwróciliśmy mu uwagę, że ów wynalazca zostałby multimilionerem, gdyby rozpoczął masową produkcję takich motorków, ale wtedy chłopiec powiedział: „Dziękuję bardzo, nie chcemy mieć w powietrzu mnóstwa latających dzieci, wystarczę ja i Braciszek!".

W tym miejscu Braciszek uśmiechnął się, bo jak się okazało, Karlsson chciał latać tylko z nim i z nikim innym! Ale potem pociągnął nosem i czytał dalej:

Trzeba przyznać, że chłopiec nie wyglądał na całkiem normalnego. Mówił chaotycznie i dziwnie odpowiadał na nasze pytania, nie chciał nawet podać imion swoich rodziców. „Mamuchna jest mumią, a tatuchno Jonem Pluntem", powiedział wreszcie, ale więcej nie udało się z niego wydobyć. Plunt brzmi jak nazwisko angielskie, może ojcem chłopca jest Anglik, wydaje się w każdym razie, że jest on znanym lotnikiem – o ile dobrze zrozumieliśmy paplaninę tego dzieciaka. Zainteresowanie lataniem najwyraźniej przeszło z ojca na syna. Chłopiec zażądał, żebyśmy mu natychmiast wypłacili nagrodę. „Ja mam ją dostać, a nie Fille i Rulle, czy jakiś inny podły złodziej", powiedział. I chciał wszystko dostać w pięcioörówkach „bo tylko one są prawdziwymi pieniędzmi", twierdził. Opuścił nas z kieszeniami napchanymi po brzegi pięcioörówkami. Po resztę przyjdzie z taczkami, najprędzej, jak tylko będzie mógł. „I nie zgubcie przypadkiem moich pieniędzy, bo wtedy przyleci strzyga i zabierze was", powiedział. Niewątpliwie zawarcie z nim znajomości było ciekawym i zabawnym doświadczeniem, nawet jeżeli nie zrozumiało się wszystkiego, co mówił. „Pamiętajcie, że zapłaciliście tylko za mniej więcej jeden duży palec u nogi" — tak nam powiedział na pożegnanie, po czym wyfrunął przez okno i poleciał w kierunku Vasastan. Chłopiec, co bardzo dziwne, nie nazywa się Plunt, jak jego ojciec — odmówił również wyjaśnienia, jak się to stało, i pod żadnym warunkiem nie chciał, by jego nazwisko znalazło się w gazecie „bo tego nie chce też Braciszek", powiedział. Wydaje się, że bardzo dba o swego młodszego brata. Tak więc nie możemy wyjawić nazwiska chłopca, możemy jedynie powiedzieć, że zaczyna się ono na „Karl" i kończy na „son". Jeżeli jednak ktoś nie życzy sobie, by jego nazwisko figurowało w gazecie, ma, naszym zdaniem, prawo nie podawać go. Dlatego też piszemy o chłopcu „chłopiec", a nie „Karlsson", jak się naprawdę nazywa.

— „Wydaje się, że bardzo dba o swego młodszego brata" — wymamrotał Braciszek i znowu pociągnął nosem. Ale potem podszedł do linki od dzwonka i gniewnie za nią szarpnął — to był sygnał oznaczający: „Przyjdź!"

I Karlsson przyszedł. Bzycząc, wleciał przez okno, podniecony i zadowolony jak trzmiel.

— Jest dziś coś specjalnego w gazecie? — spytał z szelmowską miną i wydłubał brzoskwiniową pestkę. — Przeczytaj mi, jeżeli rzeczywiście jest coś ciekawego!

— Wstydziłbyś się — powiedział Braciszek. — Nie rozumiesz, że teraz wszystko popsułeś? Nigdy już nie będziemy mieli spokoju, ani ty, ani ja.

— A kto, twoim zdaniem, chce mieć spokój? — zapytał Karlsson, wycierając brudne od ziemi dłonie w piżamę Braciszka. — Ma być hejsan i hoppsan, i trąbki, a jak nie, to się nie bawię, wiesz przecież. No, ale czytaj już!

Zaczął latać tam i z powrotem przed lustrem, podziwiając siebie samego, a Braciszek czytał. Opuszczał takie określenia, jak „wyjątkowo gruby" i inne w tym rodzaju, które mogłyby zmartwić Karlssona, ale resztę przeczytał od deski do deski, a Karlsson puchł z zachwytu.

— Ciekawa znajomość to ja, zgadza się, tak, w tej gazecie są same prawdziwe słowa.

— „Wydaje się, że bardzo dba o swego młodszego brata" — przeczytał Braciszek i spojrzał nieśmiało na Karlssona.

— Czy te słowa też są prawdziwe?

Karlsson przerwał latanie, żeby się zastanowić.

— Owszem, dziwnym trafem — przyznał trochę niechętnie. — Pomyśl tylko, że jest ktoś, kto dba o takiego niemądrego chłopca jak ty! To naturalnie wynika z mojej dobroci, bo jestem najlepszy i najmilszy na świecie... czytaj dalej!

Ale Braciszek nie mógł czytać, póki nie przełknął kulki, która mu utknęła w gardle — pomyśleć tylko, że to jednak prawda, że Karlsson go lubi, a skoro tak, to mniejsza o wszystko inne!

— Dobrze zrobiłem, że nie zgodziłem się na umieszczenie mojego nazwiska w gazecie — ciągnął Karlsson. — Zrobiłem to wyłącznie dla ciebie, bo ty wciąż chcesz utrzymywać mnie w jak największej tajemnicy.

Złapał za gazetę i przypatrywał się długo i miłośnie obu zdjęciom.

— Niebywałe, jaki ja jestem piękny — powiedział. — I jaki w miarę tęgi, wprost nie do wiary, zobacz!

Podsunął gazetę Braciszkowi pod nos, ale zaraz mu ją zabrał i namiętnie pocałował swoją podobiznę, tę, na której pokazywał guzik startera.

— Hoj, hoj, mam ochotę wołać hurra, kiedy siebie widzę — powiedział. Ale Braciszek wyrwał mu gazetę.

— Tego artykułu nie mogą w żadnym razie przeczytać ani panna Cap, ani wuj Julius — powiedział. — Za nic na świecie!

Wziął gazetę i wcisnął ją do szuflady swojego biurka, tak głęboko, jak tylko mógł. Minutę później wuj wsadził nos i zapytał:

— Masz gazetę, Braciszku?

Braciszek potrząsnął głową.

— Nie, nie mam.

Bo przecież nie miał jej, skoro leżała w szufladzie, wytłumaczył później Karlssonowi.

Wydawało się zresztą, że wuja Juliusa niezbyt obchodzi gazeta. Miał niewątpliwie inne sprawy, które mu zaprzątały głowę, bo robił wrażenie niesłychanie zadowolonego. A poza tym musiał teraz iść do lekarza. Ostatni raz. Za kilka godzin pojedzie z powrotem do domu, do Västergotlandii.

Panna Cap pomogła mu włożyć płaszcz, a Braciszek i Karlsson słyszeli, jak go poucza. Ma porządnie zapiąć się pod szyją i ma uważać na samochody na ulicy, i nie powinien palić od samego rana.

— Co ją napadło, tego Capa Domowego? — zapytał Karlsson. — Myśli może, że jest jego żoną?

Ten dzień był rzeczywiście pełen niespodzianek! Ledwo wuj Julius wyszedł, a już panna Cap rzuciła się do telefonu i usłyszeli, że z kimś rozmawia. A ponieważ mówiła bardzo głośno, słyszeli też, co mówi.

— Halo, to ty, Frido? — spytała żywo. — Jak się masz, co porabia twój nos?... Co ty mówisz, no tak, ale widzisz, nie musisz się już martwić o mój, bo zamierzam zabrać go ze sobą do Västergotlandii, przenoszę się tam... Nie, wcale nie jako pomoc domowa, wychodzę za mąż, mimo że jestem taka brzydka, co ty na to?... Owszem, możesz się tego dowiedzieć, za pana Juliusa Janssona, za niego i tylko za niego... Właściwie można uznać, że rozmawiasz już z panią Jansson, moja droga Frido... Ale coś mi się zdaje, że wzruszyłaś się, słyszę, że płaczesz... Nie, nie, Frido, nie becz, możesz przecież poderwać jakiegoś innego włamywacza... Muszę już kończyć, bo mój narzeczony może w każdej chwili wrócić... Odezwę się później, pa na razie.

Karlsson wytrzeszczył oczy na Braciszka.

— Czy nie ma jakiegoś bardzo mocnego i skutecznego lekarstwa dla takich, co zgłupieli? — zastanawiał się. — Bo jeżeli jest, musimy natychmiast zaaplikować wujowi podwójną dawkę!

Braciszek nie wiedział, czy jest takie lekarstwo. Karlsson westchnął ze współczuciem, a kiedy wuj Julius wrócił od lekarza, podszedł do niego bez słowa i wcisnął mu do garści pięcioörówkę.

— Dlaczego mi ją dajesz? — zapytał wuj.

— Kup sobie coś zabawnego — odparł Karlsson ponurym głosem. — Potrzebujesz tego.

Wuj Julius podziękował, ale powiedział, że jest tak szczęśliwy i zadowolony, że nie potrzebuje żadnych pięcioörówek na rozweselenie.

— Choć naturalnie, wy, chłopcy, będziecie zmartwieni, jak usłyszycie, że zamierzam odebrać wam ciocię Hildur.

— Ciocię Hildur? — zdziwił się Karlsson. — Któż to jest, u licha?

A gdy mu Braciszek wyjaśnił, Karlsson bardzo długo się śmiał.

Wuj Julius natomiast dalej mówił o tym, jaki jest szczęśliwy. Nigdy nie zapomni tych dni, powiedział. Przede wszystkim tego, że świat baśni tak się przed nim cudownie otworzył! Jasne, że się czasem bał, kiedy na przykład wiedźmy fruwały przed oknem, temu nie przeczy, ale...

— Żadne wiedźmy — powiedział Karlsson — tylko strzygi, dzikie i potworne!

— W każdym razie czuję — ciągnął dalej wuj Julius — że żyję w tym samym świecie, co moi przodkowie, i dobrze mi w nim. Ale te dni przyniosły mi to, co ze wszystkiego najlepsze — moją własną księżniczkę z bajki, której na imię Hildur, no i teraz będzie ślub!

— Księżniczka z bajki, której na imię Hildur — powtórzył Karlsson i oczy mu zabłysły. Długo się śmiał, potem spojrzał na wuja, potrząsnął głową i znów się śmiał.

Panna Cap dreptała po kuchni i Braciszek nigdy jeszcze nie widział jej tak wesołej.

— Ja też lubię wiedźmy — powiedziała. — Bo gdyby to paskudztwo nie latało wczoraj wieczorem za oknem i nie straszyło nas, ty, Juliusie, nigdy byś nie rzucił mi się na szyję i nigdy by się nie stało, co się stało.

Karlsson aż podskoczył.

— No tak, pięknie! — zaczął ze złością, ale zaraz wzruszył ramionami. — E tam, drobiazg — powiedział. — Chociaż nie sądzę, byśmy kiedykolwiek mieli jeszcze strzygi w Vasastan.

Panna Cap im więcej myślała o ślubie, tym robiła się weselsza.

– Ty, mój Braciszku, będziesz paziem panny młodej – powiedziała zadowolona, poklepując Braciszka po policzku. – Uszyję ci ubranko z czarnego aksamitu, ach, jaki będziesz rozkoszny!

Braciszek wzdrygnął się... czarne ubranko z aksamitu... Krister i Gunilla umarliby ze śmiechu!

Ale Karlsson nie śmiał się, był zły.

– Nie bawię się, jeżeli ja też nie będę paziem – powiedział. – Chcę też mieć czarne ubranko i być rozkoszny.

Wtedy z kolei zaśmiała się panna Cap.

– Ach, jaki by ślub był zabawny, gdybyśmy ciebie wpuścili do kościoła.

– Jasne! – ucieszył się Karlsson. – Mógłbym stać za tobą w czarnym aksamitnym ubranku i cały czas machać uszami, a co jakiś czas oddawałbym salwy z bistoletu, bo tak ma być na ślubach.

Wuj Julius, którego rozpierało szczęście, i chciał, żeby wszystkim było wesoło, powiedział, że oczywiście Karlsson może wziąć udział w uroczystościach. Ale wtedy panna Cap orzekła, że gdyby Karlsson miał być paziem, to ona woli zrezygnować z małżeństwa.

I tego dnia również nastał wieczór. Braciszek siedział na górze na schodkach przed domkiem Karlssona i patrzył, jak zapada zmierzch, a wszędzie dookoła zapalają się światła, w całym Vasastan i w całym Sztokholmie, jak okiem sięgnąć.

Był więc wieczór, a on siedział obok Karlssona – to z pewnością było przyjemne. Gdzieś tam, daleko w Västergotlandii, wjeżdżał właśnie na małą stacyjkę pociąg, buchając parą, i wysiadał z niego wuj Julius. A gdzieś, het na Bałtyku, płynął w stronę Sztokholmu biały statek z mamą i tatą na pokładzie. Panna Cap była na Frejgatan i pocieszała Fridę. Bimbo umościł się przed nocą w swoim koszyku. A tu na górze, na dachu, Braciszek siedział, mając przy sobie swego najlepszego przyjaciela, i jedli razem bułeczki z dużej torby, pyszne bułeczki panny Cap, świeżo upieczone. Było więc przyjemnie. A mimo to Braciszek wydawał się niespokojny.

Bo nie zaznawał spokoju ten, kto chciał być najlepszym przyjacielem Karlssona.

— Próbowałem ratować cię, jak tylko umiałem najlepiej — odezwał się. — Czuwałem nad tobą, naprawdę. Ale teraz nie wiem, co będzie.

Karlsson wyciągnął z torby jeszcze jedną bułeczkę i połknął ją.

— Jaki ty jesteś głupi! Teraz nikt nie może mnie dostarczyć do gazety i dostać masy pięcioörówek, bo uniemożliwiłem to, więc, jak sam rozumiesz, oni zrezygnują, Fille i Rulle, i cała banda!

Braciszek też sobie wziął bułeczkę i ugryzł ją, namyślając się nad czymś.

— Nie. Głupi jesteś raczej ty — odparł. — Całe Vasastan na pewno zaroi się od ludzi; zjawi się całe mnóstwo kretynów, którzy będą chcieli zobaczyć, jak latasz, i ukraść ci motor i wszystko inne.

Karlsson uśmiechnął się z zadowoleniem.

— Naprawdę tak myślisz? Jeżeli masz rację, to może będziemy mogli spędzać co jakiś czas wesoły wieczór.

— Wesoły wieczór! — oburzył się Braciszek. — Nigdy więcej nie zaznamy chwili spokoju, wierz mi, ani ty, ani też ja.

Ale Karlsson uśmiechnął się z jeszcze większym zadowoleniem.

— Naprawdę tak myślisz? No, miejmy nadzieję, że się nie mylisz.

Tym razem Braciszek bardzo się rozzłościł.

— Ale jak ty sobie dasz radę? Jak sobie poradzisz, kiedy tu przyjdą całe chmary ludzi?

Karlsson przechylił głowę i zerknął na niego z ukosa.

– Są trzy sposoby, jak wiesz. Tirrytowanie, figielkowanie i wykiwywanie. Zamierzam użyć tych sposobów. Wszystkich trzech.

Mówiąc to, miał tak sprytną minę, że Braciszek musiał się roześmiać, chociaż wcale tego nie chciał. Najpierw chichotał cichutko, ale po chwili zaczął się wręcz krztusić ze śmiechu, a im głośniej chichotał, tym bardziej Karlsson był zachwycony.

– Hoj, hoj – powiedział i dał Braciszkowi takiego kuksańca, że o mało nie strącił go ze schodków. Braciszek zaczął jeszcze bardziej chichotać i pomyślał sobie, że teraz dopiero zacznie się to, co naprawdę zabawne.

Karlsson tymczasem siedział na ganku i przyglądał się czule swym dwóm czarnym, dużym palcom u nóg, wystającym przez dziury w podartych skarpetkach.

– Nie, nie sprzedam ich – powiedział. – I nie gadaj już na ten temat, Braciszku. Bo te dwa palce należą do największego bogacza na świecie i już nie są na sprzedaż.

Wsadził rękę do kieszeni i z zadowoleniem zaczął pobrzękiwać swoimi licznymi pięcioörówkami.

– Hoj, hoj, jestem bogatym, niesłychanie mądrym i w miarę tęgim mężczyzną w sile wieku. Pod każdym względem najlepszym na świecie Karlssonem, rozumiesz to, Braciszku?

– Tak – odpowiedział Braciszek.

W kieszeniach Karlssona było jednak coś więcej niż tylko pięcioörówki, był też mały pistolet, i zanim Braciszek zdążył temu zapobiec, gruchnął strzał, który napełnił echem całe Vasastan.

„No tak, zaczyna się" — pomyślał Braciszek, gdy w domach dookoła ludzie pootwierali okna i dały się słyszeć podniecone głosy.

Ale Karlsson śpiewał i wybijał takt dwoma czarnymi, dużymi palcami u nóg:

Huk niech będzie i wesoło,
łupu-cupu, bum,
figielkować będę co dzień.

Hejsan, hoppsan i hoj, hoj,
każdy dla mnie ma być miły,
łupu-cupu, hoj,
łupu-cupu, hoj.

Spis rozdziałów

Wydawnictwo NASZA KSIĘGARNIA Sp. z o.o.
02–868 Warszawa, ul. Sarabandy 24c
tel.: 022 643 93 89, 022 331 91 49
fax: 022 643 70 28
e-mail: naszaksiegarnia@nk.com.pl

Dział Handlowy
tel.: 022 331 91 55, tel./fax: 022 643 64 42
Sprzedaż wysyłkowa
tel.: 022 641 56 32
e-mail: sklep.wysylkowy@nk.com.pl **www.nk.com.pl**

Redaktor **Małgorzata Grudnik-Zwolińska**
Skład i łamanie **Hubert Ferman**

ISBN 978-83-10-11297-2

PRINTED IN POLAND
Wydawnictwo „Nasza Księgarnia", Warszawa 2007 r.
Druk: Wojskowa Drukarnia w Łodzi